D1047517

LES ÉDITIONS Z'AILÉES
22, rue Ste-Anne C.P. 6033
Ville-Marie (Québec) J9V 2E9
Téléphone : 819-622-1313
Télécopieur : 819-622-1333
www.zailees.com

DIFFUSION ET DISTRIBUTION : MESSAGERIES ADP
2315, rue de la Province
Longueuil (Québec) J4G 1G4
Téléphone : 450-640-1237
Télécopieur : 450-674-6237
www.messageries-adp.com
*filiale du Groupe Sogides inc.,
filiale du Groupe Livre Québecor Média inc.

Infographie : Impression Design Grafik
Page couverture : Impression Design Grafik
Texte : Geneviève Cadieux

Impression : Juin 2013
Dépôt légal : 2013
Bibliothèque nationale du Québec
Bibliothèque nationale du Canada

ISBN : 978-2-923910-54-3

Imprimé au Canada sur papier recyclé. 

Les Éditions Z'ailées remercient la SODEC pour l'aide accordée à leur programme de publication et reconnaissent l'aide financière du gouvernement du Canada par l'entremise du Fonds du livre du Canada (FLC) pour leurs activités d'édition.

Gouvernement du Québec — Programme de crédit d'impôt pour l'édition de livres — Gestion SODEC

SODEC
Québec

Souillée

Geneviève Cadieux

Pour ma sœur Marie-Hélène.
Mon unique, précieuse et irremplaçable sœur.

Nous sommes tous dans le caniveau,
mais certains d'entre nous regardent les étoiles.
Oscar Wilde

Chapitre 1

Je m'appelle Angèle et j'ai quinze ans.

Roulée en boule sur un lit blanc, j'imagine que je suis l'enfant que ma sœur porte en elle et qui ondule parfois légèrement lorsque ma main se pose sur son ventre gonflé.

Je n'ai rien à faire, rien à espérer. Je ne suis qu'une petite boule de muscles, mue par les battements encore irréguliers de mon cœur en devenir. Je flotte, minuscule petite chose endormie, et je rêve déjà de la vie qui débutera bientôt pour moi, de l'autre côté de ce ventre chaud, dans cet autre monde où je devine la présence de ceux qui m'attendent.

Que pourrait-il donc m'arriver d'horrible, là-bas, alors que tout n'est que musique et éclats de rire ? Comme je suis impatiente de connaître les couleurs, les odeurs, les saveurs, moi qui ai fait un si long voyage, qui ai eu un repos si grand, tapie au fond d'une telle noirceur !

Ma mère, près de mon lit blanc, bouge légèrement. Je quitte l'illusion du ventre douillet de ma sœur pour redevenir cette silhouette frêle couchée sur le côté droit, face à l'écran lumineux du moniteur cardiaque, dos à la grande fenêtre d'où l'on peut apercevoir le mont Royal et sa grande croix clignotante. J'ouvre les yeux. Ma mère me regarde et je la sens qui tremble. Pire : je la vois tressaillir. Elle fait de son mieux pour rester immobile, pour contrôler sa respiration, mais je distingue nettement les frissonnements de son corps qui tressaute. Elle me sourit des yeux sans rien dire.

Petite, j'adorais les étoiles. Je les contemplais durant des heures, à genoux sur mon lit, les pieds bien au chaud sous mon édredon et les coudes appuyés contre le rebord de ma fenêtre. Je plissais les yeux pour mieux apercevoir leurs variations de lumière. J'aimais imaginer que chacune d'entre elles représentait l'âme d'une personne ayant depuis longtemps quitté ce monde et je fixais ainsi, nuit après nuit, le regard brillant de ces millions d'aïeux inconnus.

Parfois, mon père me trouvait ainsi endormie, la joue contre mon avant-bras, les yeux encore en mouvements subtils sous mes paupières refermées par le sommeil. Ces soirs-là, il lui arrivait de s'asseoir près de mon lit et d'attendre que ma mère monte à son tour. Ensemble, ils me regardaient dormir. Ma mère me l'a souvent raconté. Ma sœur, aussi. Une fois que les membres de ma famille avaient en réserve assez d'images de mon corps immobile pour sombrer à leur tour dans un sommeil rassurant, mon père me prenait dans ses immenses bras. Il me replaçait tout contre mon oreiller, entre mon lapin de peluche et ma grosse poupée de plastique. Ainsi, j'étais parfaitement heureuse, au sein d'une famille parfaitement aimante.

J'étais leur trésor, leur bébé, leur petite poupée chérie.

J'étais leur étoile.

Chapitre 2

Benjamin se leva en soupirant. Il s'étira longuement, comme un chat, puis secoua ses mèches noires coiffées l'avant-veille avec un gel luisant. Il avait passé son dimanche au lit, ne se levant qu'une fois pour visiter la salle de bain. Sa mère était venue le voir, inquiète. Elle avait posé quelques questions sur la soirée du samedi, suspectant une surconsommation d'alcool. Il n'avait rien répondu. Son frère, qui se promenait encore avec la couche aux fesses, avait osé pousser la porte de la chambre, mais Benjamin, qui ne savait rien lui refuser, avait préféré feindre le sommeil profond plutôt que de demander à Félix de quitter les lieux.

Une vague nausée s'était installée, surpassée depuis la fin de l'après-midi du dimanche par une migraine persistante. Il resta sous la douche plus longtemps qu'il n'aurait dû, provoquant l'hystérie de sa mère de l'autre côté de la porte verrouillée. En posant les pieds sur le carrelage de céramique, il étendit le drap de bain sur sa tête, s'y enveloppa comme le faisait Félix et, recroquevillé contre le mur repeint l'été d'avant, il se mit à pleurer.

Très vite, il renifla un coup, se releva d'un bond et alla s'habiller dans la chambre. En descendant l'escalier, il regarda sa montre. Puis, sans dire un mot ni jeter un regard à sa mère ou à son frère qui déjeunaient tous deux d'un gruau maison, il sortit en claquant la porte.

Au coin de la rue, il plaça ses écouteurs sur ses oreilles et alluma son iPod. Il n'entendait pas très bien. Était-ce cette musique incessante dans ses oreilles, vingt heures sur vingt-quatre, qui endommageait peu à peu son nerf auditif ? Était-ce simplement son ennui profond envers le monde qui lui donnait envie de ne rien percevoir des bruits ambiants ? Sa musique sur les oreilles, il était sur une autre planète. S'il fermait les yeux, alors là, il n'existait plus. Il devenait imperméable, remarquant à peine le vent contre son visage fermé ou les vibrations de l'autobus qui approchait. Dans ces moments-là, il voyait apparaître le visage d'Angèle et il se sentait vivre un peu.

Ce matin, pourtant, un sentiment désagréable l'envahit au moment même où les petits yeux bruns d'Angèle apparaissaient dans sa tête. Il eut un mouvement d'impatience qui le surprit lui-même et il ferma violemment son iPod. Il ramena le capuchon de son anorak sur sa tête échevelée et grimpa d'un bond les quatre marches de l'autobus scolaire.

Au collège, le corridor qui s'ouvrait devant lui n'avait pas changé. Comme tous les lundis matin, l'ambiance était fébrile. Les conversations s'alimentaient un peu partout, des rires fusaient. Face au local de la surveillante, une fille hurla à la vue d'un insecte qui s'échappait du casier d'un camarade ayant oublié un sandwich la semaine précédente. Benjamin soupira.

Il marchait lentement, traînant un peu les talons, fixant de ses yeux baissés la pointe de ses souliers. Il se souvint machinalement de la discussion qui avait précédé l'achat de ces souliers. Sa mère était contre, prétextant leur prix exorbitant. Son père ne disait rien, se contentant de hocher la tête en fixant l'horizon, concentré sur une conversation virtuelle. L'accessoire téléphonique dernier cri qui ne quittait jamais son oreille, tel un greffon métallique, lui donnait l'air important nécessaire aux hommes d'affaires de son âge.

Benjamin n'avait pas argumenté longtemps. Il avait compris, depuis plusieurs années déjà, qu'il était plus efficace de garder le silence devant les envolées émotives de sa mère. Cela la déconcertait toujours. Aujourd'hui, il fixait le bout de ses souliers et aurait bien aimé être de nouveau dans cette boutique, entre l'indifférence de son père absent et la crise de nerfs de sa mère émotive.

Il entra dans la classe et prit place près de la fenêtre. Les autres élèves entraient les uns après les autres, mais il ne les voyait pas. Il regardait ses mains, posées comme des étoiles sur son pupitre un peu sale, ses grandes mains qu'il ne reconnaissait pas. Lorsque Marco et Adrien passèrent près de lui en ricanant, il ne broncha pas. Hermétique.

Le cours commença. Monsieur Tremblay s'évertuait à répéter, démonstrations à l'appui, l'importance des parenthèses dans les opérations algébriques. Il lança au groupe une blague plus ou moins drôle. Une fille pouffa. Marco, dont la voix était reconnaissable entre toutes, poussa l'audace jusqu'à en rajouter pour faire rire la fille encore plus.

Benjamin n'en pouvait plus. Il leva son regard vers la fenêtre et vit, au loin, une vieille dame qui traversait la rue lentement et qui s'arrêtait, de temps en temps, pour se reposer sur le manche de son parapluie. Plus loin, une ambulance hurla. La cime des arbres plantés devant le collège ondulait légèrement, comme un jupon ou les cheveux d'une fillette.

Vis-à-vis l'une de ses omoplates, la gauche, Benjamin sentait irradier un point précis, en direction de l'endroit même où Angèle s'asseyait habituellement. Sans grande surprise, la place était vide ce matin-là. Plus son dos irradiait, et plus Benjamin courbait le cou vers ses deux mains ouvertes posées contre le pupitre.

Ces horribles étoiles avec lesquelles il devait maintenant apprendre à vivre.

Chapitre 3

Ce furent elles, les étoiles, que je vis en premier. Il me sembla alors que je dormais depuis des siècles. Je n'entendais aucun bruit et j'avais l'étrange impression que mon corps flottait, léger comme un vent nocturne.

Les étoiles. Derrière mes paupières rouges du sang qui les alimentait, des milliers d'étoiles bougeant dans tous les sens.

Je tentai d'ouvrir les yeux et fut surprise de trouver l'opération si difficile. Mes oreilles, quant à elles, commençaient à percevoir des sons lointains. J'eus conscience soudainement d'être étendue sur un lit et la douleur, qui ne devait plus me quitter ensuite, commença sa constante irradiation. Je gémis, puis tombai dans le sommeil.

À mon réveil, je sus que mes parents étaient dans la pièce. Mes yeux demeuraient fermés et la douleur s'était mise à bourdonner d'une étrange façon dans mes oreilles. Je savais que mon père bouillonnait non loin de moi. C'est son cœur paniqué qui battait à mes tempes, je le sentais bien. J'eus un mouvement. Je sentis le branle-bas tout autour. Ma mère s'allongea près de moi et posa l'un de ses bras sur mon ventre. Elle tremblait. Ma mère était un oiseau tremblant de peur et de froid, qui posait ses ailes sur son oisillon ayant chuté du nid. Je tombai à nouveau endormie.

Je m'appelle Angèle, j'ai quinze ans, et il y a quelques heures, j'ai été violée. Deux fois plutôt qu'une. Depuis, mon corps meurtri a été déposé sur un lit d'hôpital où il tente d'oublier, branché sur des machines bruyantes, la soirée qui vient de se terminer. Je grelotte malgré *les couvertures chaudes qu'une infirmière a gentiment empilées sur moi. J'ai envie de hurler, mais ma gorge me fait tellement mal que je préfère m'abstenir.*

Dès que je ferme les yeux, je revois l'eau furieuse. L'eau froide et déchaînée du fleuve. Était-ce bien moi, cette silhouette dévêtue qui se débattait dans le fleuve glacé ? Était-ce bien moi qui traversais, nue, le boulevard Saint-Joseph ?

Chapitre 4

Son iPod accroché aux oreilles, Benjamin regardait sans broncher l'assiette de spaghettis posée devant lui. Tout autour, des ombres s'activaient, plus agitées que des abeilles, comme s'il n'y avait rien de plus extraordinaire au monde que de dépenser son énergie à bouger, rire ou jacasser dans la cantine du collège Sainte-Marguerite.

Il ne parlait pas.

Pour dire vrai, il n'arrivait pas à penser non plus. Il ressentait, à l'intérieur de lui, un vide plus grand encore que le gouffre qui, pourtant, l'accompagnait depuis des années déjà. Comment en arrive-t-on à passer d'un petit garçon enjoué et rieur à un grand adolescent mélancolique et réservé ? Benjamin avait beau y réfléchir souvent, il n'arrivait pas à recréer le fil des événements, à comprendre quand, exactement, la transformation s'était opérée en lui. Aurait-il pu le prévoir, y changer quelque chose ? Une partie de lui aurait-elle pu se rebeller pour que ne s'éteigne pas cette joie de vivre qui faisait l'envie de tous les adultes qui l'entouraient lorsque, enfant, il illuminait le monde de sa simple présence ?

Derrière lui, il entendit des rires. Discrètement, il retira un écouteur. Un groupe de filles bavardaient et les éclats fusaient, alors qu'il était question de la fête organisée chez Mathieu le samedi précédent. La conversation était légère, détendue. Les filles semblaient avoir passé un bon moment. Benjamin, qui y était aussi, savait que l'une d'elles, Émilie, avait abusé de l'alcool et avait terminé sa soirée dans le bain de Mathieu, sous les bons soins de ses copines hilares. À entendre les blagues qui se multipliaient dans son dos, il comprit qu'Émilie était assise à la table avec les autres filles. Les amies d'Angèle.

Benjamin les écouta un moment. Il hésitait entre remettre son écouteur en place ou continuer d'espionner la conversation des filles lorsque Adrien et Marco, comme un seul homme, avancèrent avec le même sourire aux lèvres et du même pas déterminé vers sa table. Avant que Benjamin n'ait pu faire un mouvement, Adrien prit place devant lui et Marco, un peu nerveux, se mit à s'agiter à sa droite.

– Ça va, Ben ?

Il ne répondit rien.

– Est-ce que la méchante sorcière a mangé ta langue, Benichou ?

Benjamin leva les yeux lentement, très lentement, avec l'impression bizarre qu'il était en plein cœur d'un mauvais film, au moment où la scène se met à défiler au ralenti. Il planta ses pupilles dans les yeux gris d'Adrien.

– C'est ce que t'as trouvé de plus intelligent à me dire, Adrien Nelson ?

Il avait parlé plus fort qu'il ne l'aurait voulu. Les filles, à la table derrière lui, se turent d'un coup sec. Marco leva la tête vers lui, interloqué. Adrien posa sur la table la fourchette qu'il venait de saisir et inspira un grand coup. Il n'était pas habitué à ce qu'on lui réponde. Ses habiletés sociales très moyennes, additionnées d'une agressivité difficilement contrôlée, avaient contribué à lui bâtir une réputation qui le précédait depuis longtemps. En conséquence, la plupart des élèves du collège Saint-Marguerite évitaient Adrien Nelson ou, à tout le moins, éloignaient les ennuis en l'accommodant aussi souvent que possible. Angèle avait murmuré à sa copine Julie, une fois : « On dirait que même les profs en ont peur ! » et elle n'avait pas tort.

Adrien cachait, dans le regard, un sourire qui n'avait rien de rassurant, un éclat tranchant qui le faisait basculer en un instant de la colère à la violence. Et pire encore que l'agressivité ou les difficultés sociales, c'était la conscience aigüe de sa propre cruauté qui effrayait chez ce colosse aux yeux gris. On aurait dit qu'Adrien vivait chaque minute de sa vie en sachant qu'il dégageait une aura de crainte, un souffle de barbarie.

Il n'avait pas d'amis. Il n'y avait que Marco, ce clown sympathique, dont la voix possédait un timbre rauque si particulier, qui le suivait comme une ombre depuis toujours. Certains élèves racontaient qu'il y a longtemps, Adrien avait été hébergé dans la famille de Marco, le temps que se règlent quelques problèmes familiaux obscurs, et que les deux garçons, alors de jeunes enfants, étaient devenus aussi proches que des frères. Les années ayant passé, il devenait de plus en plus étonnant que Marco, si doux et si jovial, puisse trouver son compte dans une amitié avec Adrien...

Benjamin n'eut pas le temps d'éterniser ses réflexions sur le sujet. L'instant après avoir posé sa fourchette, Adrien lui balança un coup de poing au visage qui fit s'écrier d'indignation l'une des filles assises derrière lui. Le sang n'avait pas encore commencé à s'écouler de sa narine – et il se répandit pourtant à une vitesse assez spectaculaire ! – que la belle Nadine quitta la table des filles pour se planter devant Adrien.

– Hé, le cave, ça va pas, la tête ? As-tu mangé de la vache enragée ?

Avec tout le mépris dont elle était capable,

Nadine repoussa ensuite le bras d'Adrien pour saisir, sur son plateau, quelques serviettes de table propres. En se retournant pour donner un coup de main à Benjamin, elle s'écria assez fort pour que tout le collège l'entende :

– Tant que vous allez y donner raison, *gang* de lâches, il va faire la pluie pis le beau temps ici ! C'est vraiment d'un gros épais comme ça dont vous voulez avoir peur ?

Elle secoua la tête.

– Pfff! Vous me faites encore plus pitié que lui...

Marco rit nerveusement. Autour d'eux, le silence était impressionnant. Tandis que Benjamin, aidé de Nadine, tentait de calmer l'hémorragie, Adrien et Marco s'éclipsèrent.

Au fond de la salle, la surveillante fronça les sourcils. Elle était habituée aux pulsions agressives d'Adrien Nelson, et rares étaient les fois où elle intervenait directement, ayant appris avec les années que malgré les grandes théories sociologiques, malgré les manuels de pédagogie et les conférenciers payés par le ministère de l'Éducation lors des congrès et des journées de formation, certains élèves n'arriveraient jamais à intégrer tout à fait le système. Ce lundi-là, par contre, son intuition lui disait que la crise dont elle avait été témoin n'était pas sans fondement. Et, sans savoir pourquoi encore, elle eut un léger vertige en appréhendant la suite des événements.

À la table de Benjamin, Nadine jouait toujours son rôle d'infirmière. Quand elle fut satisfaite, elle s'assit à côté de son camarade de classe, là où Marco était installé quelques minutes auparavant. Machinalement, elle se mit à jouer avec la paille d'un berlingot de lait. Elle regardait Benjamin et souriait doucement. Autour d'eux, les conversations avaient recommencé. Même à la table des filles, derrière leur dos, tout semblait normal. Les bavardages avaient repris leur cours habituel.

Benjamin fixait toujours ses spaghettis sans bouger. Son deuxième écouteur avait été éjecté de son oreille au moment de l'impact et Nadine pouvait entendre les percussions qui dominaient la mélodie. Le cœur battant, elle suivait la musique en se disant : « Voilà le rythme de Benjamin. »

Elle aurait pu tout aussi bien songer : « Voilà ma chance d'être près de lui », mais Nadine était une fille pratique, peu portée sur les grands sentiments. Depuis des mois, elle n'était pas indifférente au charme des épaules de Benjamin, qu'elle avait tout le loisir de contempler lors des cours de mathématiques de monsieur Tremblay. Ce matin, par exemple, elle avait été choyée. Les mains posées sur son bureau, immobile, Benjamin lui avait laissé entrevoir, sans même s'en douter, la courbe des muscles recouvrant ses omoplates, alors qu'en musique de fond, monsieur Tremblay discutait d'équations algébriques.

Nadine se mit à faire tourner une mèche de ses cheveux, tout en observant Benjamin du coin de l'œil.

– Ça va, Ben ?

– Mais oui, ça va ! C'est rien, là…

Le ton était cassant, agacé.

– Bon, OK…

–…

– Bye, d'abord.

La belle fille se leva et, redressant les épaules, fit deux pas avant de se rasseoir devant son assiette, entre Émilie et une autre copine. Personne, dans son groupe d'amies, ne parla.

Nadine n'avait pas encore réussi à s'infiltrer, mine de rien, dans l'une des conversations anodines qui tournoyaient autour de la table que Benjamin s'était levé et, sans un regard pour elle, avait quitté la cantine.

Chapitre 5

Le jour où Michèle sut qu'elle était enceinte, elle vint cogner deux petits coups à la porte de ma chambre. Il était cinq heures du matin et elle portait encore son pyjama sous sa robe de chambre usée.

L'instant d'après, elle se coucha dans mon lit, contre moi, sans rien dire. Je me rendormis rapidement. À mon réveil, ma grande sœur avait encore les yeux ouverts. Elle fixait le plafond silencieusement.

Ma sœur est un soleil. Lumineuse et silencieuse à la fois. À ses côtés, je ne suis qu'une faible et minuscule étoile et, pourtant, je me sens importante. Je me sens aimée.

Ce matin-là, Michèle ne dit que quatre mots : « Je suis enceinte, Angèle. » Son sourire était profond. Dans sa vieille robe de chambre fanée, elle brillait de bonheur. Quand je demandai où était Antoine, son mari, elle ne dit rien. Elle continua de sourire en me serrant dans ses bras.

En m'imaginant mon beau-frère parti pour une urgence à l'hôpital où il travaille, dans leur vieille voiture rouillée, je me demandai si ma sœur avait marché, en pantoufles de laine, les huit kilomètres qui séparaient son logement de notre maison. À cette pensée, je souris et je me rendormis. En bas, ma mère buvait déjà son deuxième café de la journée et mon père, en chantonnant, préparait des crêpes.

Chapitre 6

Béatrice Lemieux fixait le téléphone posé à la droite de son ordinateur. Cet objet lui faisait peur. Chaque fois que la sonnerie retentissait dans son petit bureau gris, elle sursautait et ne pouvait se résoudre à soulever le combiné avant la deuxième, parfois même la troisième sonnerie.

Lorsqu'elle était enfant, longtemps avant qu'elle ne devienne la directrice de cette grande école secondaire prestigieuse qu'était le collège Sainte-Marguerite, Béatrice Lemieux avait un jour répondu au téléphone contre la volonté de ses parents. Ceux-ci prétextaient continuellement qu'il était dangereux pour une fillette de son âge de répondre au téléphone. Avait-elle six ans à l'époque, ou sept ? Même en fronçant les sourcils, elle n'arrivait pas à s'en souvenir avec exactitude.

Toujours est-il que ce jour-là, lorsque le téléphone avait sonné, la mère de Béatrice Lemieux accrochait des vêtements sur la corde à linge et son père était à la salle de bain. L'occasion était belle pour la fillette de désobéir, poussée sans aucun doute par l'audace qui anime tous les enfants en quête d'indépendance et d'aventures. Elle avait donc soulevé le combiné du téléphone de la cuisine. C'était une amie de sa mère, qui portait le même prénom qu'elle : Béatrice. Un hommage, un genre de cadeau symbolique pour souligner cette longue amitié, lui avait-on expliqué alors qu'elle était encore plus jeune.

La petite Béa fut surprise d'entendre la grande Béatrice demander à parler à son père. Peut-être avait-elle un problème avec sa voiture ? Il était le meilleur mécanicien de toute la ville, tout le monde le disait... Le temps qu'elle se pose deux ou trois questions de plus, son père empoigna le téléphone, murmura quelques mots que la petite Béa ne saisit pas, et quitta la maison rapidement. Sans un regard pour elle.

Lorsque sa mère rentra avec son panier à lessive de plastique vide sous le bras, elle demanda à Béa où était passé son père. En entendant le prénom de son amie, la mère sursauta. Elle prit l'enfant sur sa hanche, comme lorsqu'elle était un bébé, et marcha jusque chez la grande Béatrice. Ou plutôt : elle courut. À chacun de ses pas, la petite Béa bondissait et s'accrochait encore plus fort au cou de sa mère en furie.

Ce qui se passa par la suite, lorsque sa mère entra en coup de vent dans le logement de son amie pour en ressortir presque immédiatement, le visage en feu, la bouche tordue en un rictus inquiétant, la petite Béa ne le comprit que beaucoup plus tard. Comment aurait-elle pu deviner, à un âge si jeune, que son père était secrètement tombé amoureux de la meilleure amie de sa mère ? Les histoires d'amour des adultes semblaient si simples à ses yeux de petite fille ! Dans les royaumes illustrés de ses albums d'enfant, les princes charmants ne quittaient jamais leur château au bras d'une autre reine.

Devenue adulte, il arrivait parfois à Béatrice Lemieux de repenser à cette période de son enfance. Elle se demandait alors si son père avait regretté son choix de revenir à la maison avec sa femme et sa fille. Elle s'imaginait la vie qui aurait été la sienne si son père avait préféré partir avec la meilleure amie de sa femme au lieu de subir, des années durant, la colère de son épouse trompée. Elle le revoyait parfois en souvenir, immobile dans le salon, fixant devant lui la télévision fermée, les épaules basses devant les crises de sa femme humiliée. L'amour, dès lors, lui parut une chose bien compliquée.

Était-ce cette mauvaise expérience qui donnait au téléphone une allure si menaçante aux yeux de Béatrice Lemieux ? Parfois, elle tentait de se raisonner. Surtout après un appel heureux : des parents qui voulaient la remercier pour les bons services reçus par leur enfant au collège, un enseignant qui lui annonçait l'organisation d'une activité particulièrement emballante, la bibliothécaire du quartier qui l'avisait que le livre qu'elle attendait depuis des semaines était enfin arrivé. Chaque fois que la sonnerie du téléphone emplissait l'air parfumé de son bureau, pourtant, la directrice ressentait au fond de son ventre un profond malaise, indescriptible, qui lui nouait l'estomac.

Cet après-midi-là, lorsque le policier s'identifia à l'autre bout de la ligne, Béatrice Lemieux sentait déjà son cœur marteler ses tempes. Durant les premières secondes de la conversation téléphonique, elle ne saisit pas l'importance de l'appel. Elle essayait juste de relaxer et de s'imaginer que l'homme à la voix douce qui lui parlait se trouvait en face d'elle et non à l'autre bout d'une ligne téléphonique. Un truc que lui avait donné une gentille psychologue, des années auparavant.

– Vous êtes bien Béatrice Lemieux, la directrice du collège Sainte-Marguerite ?

– Oui, oui, c'est moi.

– Inspecteur Bertrand Émond. Police de Montréal. Escouade des crimes à nature sexuelle.

Il y a de ces introductions qui vous plongent instantanément dans un gouffre d'anxiété.

– L'une de vos élèves a été victime d'une agression sexuelle particulièrement violente, la fin de semaine dernière.

Les visages de sa mère, de la grande Béatrice et de son père se dissipèrent d'un seul coup. La directrice se releva sur sa chaise, les sourcils froncés, les oreilles grandes ouvertes.

– De qui s'agit-il, inspecteur ?

– Je n'ai pas l'autorisation de vous divulguer son nom pour le moment, madame Lemieux. Je pense que vous comprendrez qu'étant donné que l'élève en question est mineure, nous devons préserver les informations confidentielles pouvant l'identifier.

– Oui, je comprends…

Les pensées se bousculaient dans sa tête. Qu'était-elle censée dire ?

– Que puis-je faire pour vous aider, inspecteur... ?

– Émond. Bertrand Émond. Pour le moment, nous n'avons aucun suspect. La jeune fille en question avait quitté plus tôt une fête organisée par un élève de votre école et à laquelle assistait une bonne partie de ses camarades de troisième secondaire. Nous croyons, pour le moment, qu'elle était partie seule.

– Comment va-t-elle ?

– Elle est hospitalisée. Non seulement les médecins doivent la garder sous surveillance étroite, mais elle aura également beaucoup de blessures physiques à guérir. Sans compter tout le reste... Bien franchement, madame Lemieux, elle fait peine à regarder.

– Mon Dieu...

– Comme nous n'avons aucun suspect,

j'aurais besoin de votre collaboration. Si jamais vous entendez des choses étranges ou si certains faits, dans le passé récent du collège par exemple, pouvaient nous guider sur certaines pistes... eh bien, vous comprenez...

– Vous avez mon entière collaboration, inspecteur. Laissez-moi vous donner mon numéro de cellulaire personnel. Tenez-moi au courant des développements, je vous en prie...

– Très bien.

– Inspecteur Émond ?

– Oui ?

– Merci. Merci de m'avoir prévenue.

Chapitre 7

L'eau froide me fouette le corps. Des bouillons glacés me passent au-dessus de la tête à coups de grand chaos et mon corps fragile est lancé dans tous les sens, vers toutes les vagues. J'essaie de garder la tête hors de l'eau, mais je suis continuellement happée par le fond. Je plonge sans le vouloir. Chaque seconde, mes membres s'engourdissent davantage et il me devient plus difficile de me mouvoir, de tenter de nager.

Nager… Comme cette action décrit mal les mouvements que je tente désespérément de réaliser ! Comment puis-je m'être retrouvée dans ce fleuve que j'aime tant et qui, dans quelques secondes, aura sans doute raison de ma courte vie ?

Je perçois, chaque fois que mon oreille remonte à la surface, un hurlement déchirant. Qui est-ce ? Qui me veut donc du mal ? J'avale encore de l'eau, je me débats. Combien de temps cela va-t-il durer ?

Les étoiles, au-dessus de ma tête, ne font rien pour m'aider. Elles assistent sans rien dire au spectacle de ma noyade. Sous moi, sans que j'en aie conscience, des filets de sang se mêlent à l'eau du fleuve Saint-Laurent.

Chapitre 8

Devant la fenêtre du bureau de l'inspecteur, un stationnement s'étend à perte de vue. Il y a quelques jours, il a pu apercevoir, en jetant un œil dehors, deux jeunes garçons qui volaient une voiture. En sa qualité de policier, l'inspecteur Émond aurait dû immédiatement intervenir. Rapporter, à tout le moins, le crime dont il était témoin. À la place, il avait soupiré. L'un des deux garçons ressemblait trop à Mathieu pour qu'il puisse prendre une chance de le dénoncer. Mathieu. Son Mathieu.

En raccrochant avec la directrice du collège Sainte-Marguerite, l'inspecteur Émond avait machinalement tourné les yeux vers sa fenêtre où, comme on le fait avec un aquarium, il se perdait dans la contemplation de la vie qui se déroulait de l'autre côté de la vitre. C'était ainsi de nombreuses heures par jour. Chaque fois qu'il devait réfléchir, ses yeux traversaient la vitre et se noyaient dans le monde. Était-ce l'univers extérieur qui était prisonnier de la vitre ou lui, à l'inverse ?

Sous ses pieds, un centre commercial grouillait de vie. Parfois, quand il n'en pouvait plus d'entendre des témoins relater des détails brutaux, il y descendait et se promenait le long des vitrines multicolores en rêvant que, comme bien des visiteurs autour de lui, il n'avait plus qu'à dépenser de l'argent. Les problèmes n'existaient plus, il ne restait que les aubaines à chasser, la trouvaille à dénicher. Parfois, ça fonctionnait. Le plus souvent, l'image macabre des crimes avec lesquels il devait jongler tous les jours demeurait incrustée en lui.

De temps à autre, il croisait une adolescente, une petite brunette, qui devait travailler dans l'un des recoins de cette ruche grouillante. Chaque fois, elle le dévisageait, un peu nerveuse. Systématiquement, il démarrait son disque dur interne pour tenter de retracer ce joli visage parmi toutes les jeunes filles qu'il avait rencontrées au cours de sa carrière.

Non pas qu'il préférait les adolescentes aux autres clientèles, mais dans sa fonction, l'inspecteur en croisait davantage que tous ses collègues des autres services policiers. Il arrivait bien entendu qu'une femme plus vieille soit victime d'une agression sexuelle. Cela se produisait même tous les jours. Des garçons, et des hommes aussi, en étaient de plus en plus fréquemment la cible. Mais cet acte de violence, qui n'avait rien à voir avec la sexualité et qui signait surtout l'incapacité de ses auteurs à gérer une soif de pouvoir aussi dégoûtante qu'effrayante, touchait encore et toujours, surtout, les adolescentes ou les très jeunes femmes.

Il lui arrivait parfois, lorsqu'il entendait parler d'une jeune femme fêtant son vingtième anniversaire de naissance, de soupirer de soulagement. Celle-là venait de passer le cap fatidique des statistiques effrayantes : elle avait maintenant 90 % moins de chance que ses petites sœurs de vivre le cauchemar de toutes ces adolescentes peuplant la vie professionnelle de l'inspecteur Émond.

La sonnerie du téléphone lui fit tendre le bras machinalement.

– Inspecteur Émond.

– Bertrand, c'est Josiane. Ça roule ?

– Mmmm. Et toi ?

– On a du nouveau. Les patrouilleurs

viennent d'appeler.

L'inspecteur fit pivoter sa chaise et alluma son portable pour prendre des notes. Concentré, il vit à peine le visage de Mathieu lui sourire sur son fond d'écran.

– Ils ont repéré des vêtements dans un petit boisé du parc Angrignon. C'est loin de l'endroit où la petite a été retrouvée, mais la description de la robe concorde.

– Et les sous-vêtements ?

– Les sous-vêtements aussi. On dirait les mêmes.

L'inspecteur soupira. Le parc Angrignon, c'était loin, en effet. Beaucoup trop loin ! La fille avait été trouvée sur la galerie avant d'une résidence située à Lachine, sur le bord du fleuve. À un endroit où le canal de Lachine est si peu large qu'il s'infiltre le long de la berge, éloignant les résidences du fleuve de plusieurs longs pas, et ce, durant quelques kilomètres. Complètement trempée, en état d'hypothermie avancée, la victime semblait avoir réussi à s'extirper du fleuve pour ramper – ou marcher, mais c'était peu probable – jusqu'à la porte de cette maison où, épuisée, elle s'était écroulée.

– C'est trop loin, Josiane. Complètement improbable.

La policière leva les yeux au ciel. Bien sûr que c'était étrange... Elle avait lu le dossier, elle aussi ! Comme son collègue, elle avait visité l'adolescente à l'hôpital et elle avait vu ses blessures. Depuis l'enfance, elle savait comme tout le monde que le fleuve se déverse dans la mer, et non l'inverse... À supposer que l'adolescente ait réussi à marcher du parc Angrignon jusqu'au fleuve – une marche de plusieurs kilomètres – comment pouvait-elle ensuite avoir descendu le fleuve à contresens pour en ressortir à Lachine, en pleine nuit, par ce froid glacial de novembre ? Comment avait-elle pu ensuite traverser le parc longeant la berge, faire fi de l'obstacle du Canal Lachine, pour finalement atteindre le boulevard Saint-Joseph, jusqu'à se retrouver comme un oiseau blessé devant la porte d'une maison endormie ? Et tout cela, complètement nue ? C'était absurde et, Bertrand avait raison, complètement improbable.

– Je sais, Bertrand, mais les vêtements semblent les mêmes. Je dois aller voir. Tu viens avec moi ?

– J'arrive.

Chapitre 9

Le temps s'écoule lentement dans ma chambre blanche. Les draps sont rudes et froids. La couverture posée sur moi est trop légère. J'aimerais en avoir une plus lourde. Je voudrais qu'une couverture aussi pesante que mon cœur recouvre mon squelette tremblant pour l'ensevelir dans le matelas de ce lit d'hôpital. Comme un enfant qui tomberait dans un puits.

Tomber sur le dos et regarder, longtemps, le paysage s'éloigner en hauteur et les parois défiler tout autour de moi. Sans me retourner. Sombrer au fond du puits et me laisser faire. Rêver du plongeon final et même, d'une certaine façon, l'espérer.

Perdue dans mes rêveries, je réussis à m'assoupir. Un léger bruit me réveille. Dans la chambre obscure, un homme est assis face à moi et me fixe en se rongeant les ongles.

Ma respiration s'accélère. Le moniteur cardiaque s'affole un peu. Une voix connue s'élève, comme un chuchotement :

– C'est moi, princesse. C'est Antoine.

Je me calme immédiatement. Antoine, mon ange gardien, le grand frère que je n'ai jamais eu. Celui qu'affectueusement j'appelle mon beau frère. Sans trait d'union. Comme la promesse d'une relation pour la vie. Comme l'espoir d'un amour rassurant et protecteur.

– Je suis là. Tu peux te rendormir, princesse.

J'ouvre la bouche pour la première fois depuis ce qui me semble un siècle.

– Maman?

Antoine se met à rigoler nerveusement.

– Tu ne me croiras jamais, princesse ! Ta mère a écouté mes conseils ! Il fallait bien que le ciel nous tombe sur la tête pour qu'une fois dans sa vie, ta mère m'écoute un peu…

Je souris dans la pénombre de la chambre. Malgré ma bouche sèche, je réponds au mari de ma sœur :

– Tu exagères, Antoine ! Maman t'adore et tu le sais.

– Tout le monde m'adore, princesse, mais ta mère, parfois, un p'tit peu moins que les autres !

Nous laissons un silence passer.

– Elle est partie se coucher à la maison, ta mère, reprend Antoine. Ton père aussi... Ne t'inquiète pas, je reste avec toi. Je ne bouge pas d'ici.

– Michèle ?

Antoine hoche la tête, comme s'il s'attendait à cette question. Comme s'il se demandait pourquoi elle n'était pas venue en premier.

– Ta sœur aussi se repose. Elle viendra tout à l'heure. Je ne voulais pas qu'elle te voie... enfin, qu'elle vienne tout de suite. Pour le bébé, tu comprends ? Elle doit prendre soin d'elle et du bébé.

– Mon Dieu, Antoine ! Je suis si maganée que ça ? T'es pas trop encourageant, là...

Je tente de rire un peu, mais les sons qui sortent de ma bouche sonnent faux.

– La question n'est pas là, Angèle. Tu le sais... Tu seras toujours belle, princesse. Toujours la plus belle ! Mais Michèle...

– J'ai compris, Antoine, ça va.

– Repose-toi maintenant.

Je gigote un peu sur mon lit. Je voudrais aller à la salle de bain, mais je n'ose pas le demander à Antoine. J'aimerais mieux qu'il sollicite l'aide d'une collègue infirmière. Je n'ai pas envie de me dénuder devant lui.

Comme s'il avait lu dans mes pensées, mon beau-frère me chuchote :

– Ne t'inquiète pas pour ta vessie. Une de mes collègues t'a installé une petite sonde tout à l'heure. Tout va bien. Tu peux te reposer.

Un autre silence passe.

– Antoine?

– Oui, princesse?

Mon beau-frère approche sa chaise un peu et pose ses coudes sur ses genoux. La nuque cassée vers le sol, il ressemble à un prêtre au *confessionnal, qui garderait les yeux au sol pour mieux écouter son paroissien.*

– C'étaient qui, les visiteurs qui sont venus tout à l'heure? Quand mes parents étaient encore là et que j'avais de la misère à garder mes yeux ouverts?

Antoine inspire profondément.

– Des inspecteurs de police. Ils vont revenir tout à l'heure.

Je prends le temps de digérer l'information. Les images se bousculent malgré moi derrière mes yeux entrouverts. Les larmes recommencent à couler. J'ai un nœud dans la gorge qui ne semble pas vouloir se dénouer. J'ai l'impression d'être redevenue un bébé.

– Antoine?

– Oui?

– Est-ce que je vais mourir ?

Mon beau-frère ne répond pas tout de suite, et je ne le vois pas très bien en raison de la pénombre, mais je sais qu'il serre les mâchoires et les poings. Je le connais, notre Antoine ! Ma question le blesse peut-être plus encore que le triste spectacle de mon corps blessé. Je m'en veux de le torturer ainsi, de l'obliger à répondre à ma question, mais j'ai besoin d'entendre sa voix me dire la vérité.

– Réponds-moi, Antoine ! Je veux le savoir !

Mon cri est parti tout seul. La voix d'Antoine est un murmure. Presque un chuchotement. Mais j'entends plus de détermination dans ce murmure que dans les innombrables promesses – pourtant toujours tenues – sorties de la bouche de mon beau-frère.

– Non, princesse. Je ne pense pas que tu vas mourir. Sincèrement, pour vrai de vrai,

je pense que tu vas vivre. Mais crois-moi, si jamais j'attrape ceux qui t'ont mis dans cet état, si jamais je réussis à être seul avec eux, ne serait-ce qu'un instant…

La voix d'Antoine, déjà basse, se casse pour de bon.

– J'te jure, princesse, que c'est la mort qui les attend.

Chapitre 10

Longtemps après l'appel de l'inspecteur Émond, Béatrice Lemieux resta assise à son bureau, immobile, en fixant le téléphone de malheur. D'un geste las, elle finit par ouvrir son tiroir pour en tirer une tablette de chocolat, dont elle détacha trois carrés bien nets. Elle les goûta un à un, sans sembler pourtant y prendre du plaisir.

Elle avait enfoui le troisième carré dans sa bouche, et celui-ci avait déjà presque terminé sa fonte, lorsque la sonnerie retentit à nouveau. L'afficheur lui apprit que Manon, sa secrétaire, était au bout du fil.

– Les parents de Raphaël Lapointe

attendent depuis déjà un moment, madame Béatrice. Voulez-vous que je les fasse entrer dans votre bureau ?

Béatrice Lemieux secoua sa tignasse et reprit ses esprits.

– Bien sûr, Manon. Mais d'abord, peux-tu venir me porter le dossier des absents du jour ?

– Pour toute l'école ? s'étonna la secrétaire.

– Non, juste pour la troisième secondaire.

– D'accord. Je communique avec le directeur adjoint responsable de ce niveau et je vous l'apporte.

Quelques minutes plus tard, alors que Béatrice Lemieux écoutait les parents de Raphaël Lapointe se plaindre du fait que leur fils s'alignait pour un énième échec en mathématiques malgré leurs bons soins et tous les efforts consacrés à des cours de rattrapage, Manon entra dans le bureau sans faire de bruit. La secrétaire déposa sur la table de travail de sa directrice une chemise bleue portant la mention : *Absents – Secondaire 3.*

La tentation de bâcler la réunion avec les parents de Raphaël était grande. Au lieu de les écouter, la directrice ne cessait, mentalement, de chercher une façon d'abréger la rencontre.

– Nous écoutez-vous, coudonc ?

L'accusation tomba comme la lame d'une guillotine. La directrice sursauta. Pour la première fois de sa carrière, elle eut envie de quitter son bureau abruptement, sans rendre de comptes à personne, et d'aller retrouver le lit douillet qui l'attendait chez elle, dans une chambre fleurie qu'elle occupait, seule, depuis toujours.

– Voyons, madame Lapointe, bien sûr que je vous écoute !

– C'est madame Laforest.

– Pardon ?

– C'est madame Laforest, mon nom. Lapointe, c'est le nom de mon mari.

Béatrice Lemieux soupira et posa, dans un geste inconscient, la main sur le dossier bleu. À défaut de pouvoir lire la liste qui y était camouflée, elle pouvait au moins la toucher.

– Madame Laforest, monsieur Lapointe, je suis désolée. Un dossier important me préoccupe ce matin. Je suis vraiment navrée… Bien entendu, la réussite scolaire de votre beau Raphaël est tout aussi importante et c'est pourquoi je vous propose la stratégie suivante…

La directrice passa les dix minutes

suivantes à élaborer, de concert avec les parents inquiets, un plan d'action visant l'amélioration des résultats de leur fils en mathématiques. Elle promit de convoquer, pour une prochaine rencontre, l'enseignant de leur fils, une orthopédagogue, ainsi qu'un conseiller pédagogique œuvrant à la commission scolaire. Rassurés, les parents sortirent enfin de son bureau.

Curieusement, maintenant qu'elle se retrouvait seule avec le dossier, Béatrice Lemieux n'avait plus qu'une idée en tête : plonger à nouveau la main dans le tiroir de son bureau afin d'y prendre un autre carré de chocolat. Ce qu'elle fit, lentement.

Puis, elle ouvrit la chemise bleue. Elle tourna machinalement les fiches d'absence qui y étaient empilées : Vanessa Dupont, pour l'avant-midi seulement; Marc Robichaud, pour l'après-midi; Nicolas Tremblay, pour la journée; Angèle Lévesque, pour la journée;

Marc-André Michaud, pour la journée; Victor Falardeau, pour la journée; Thomas Cardinal, pour la journée.

Une seule fille était absente pour la journée complète : Angèle Lévesque.

Béatrice Lemieux la connaissait : elle était impliquée activement depuis son entrée au collège dans différents projets humanitaires. Elle devait d'ailleurs, dans quelques mois, partir avec un groupe d'élèves vers un pays d'Afrique pour travailler à la reconstruction d'une école incendiée.

L'animateur de vie spirituelle et communautaire du collège avait déjà dit d'Angèle, en assemblée générale, alors qu'il présentait le projet de voyage humanitaire :

– Celle-là, les amis, c'est de la graine de coopérante internationale ! Et avec un cœur grand comme ça, en plus ! Ça fait du bien à un vieil AVSEC comme moi de côtoyer une jeune fille aussi positive, ayant une si belle influence sur son groupe d'amis !

Angèle Lévesque.

Béatrice Lemieux posa ses coudes contre son bureau, par-dessus la pile de fiches d'absence, puis laissa tomber son front contre ses mains ouvertes. Elle se sentit soudainement épuisée. Pour un peu, elle aurait éclaté en sanglots.

Différentes scènes entremêlées lui traversèrent l'esprit : des rires grivois entendus à la cantine du collège; une jeune fille venue se plaindre du fait qu'elle ne pouvait raccourcir davantage sa jupe sans contrevenir au règlement du collège; la publicité d'une conférence sur l'hypersexualisation des jeunes filles; le visage de son premier amour, au secondaire, qui avait un jour ridiculisé devant toute la classe son corps changeant d'adolescente; puis, finalement, le sourire d'Angèle Lévesque.

La directrice resta ainsi un bon moment. La cloche indiquant la fin de la première période se fit entendre. Machinalement, comme si son geste était guidé par une télécommande invisible, elle composa le numéro du dernier appel reçu. Elle écouta le message enregistré sur la boîte vocale de l'inspecteur Émond puis, au bruit du timbre sonore, elle inspira profondément et commença à parler.

Chapitre 11

Ma sœur Michèle entre dans la chambre, alors que je tente d'avaler quelques bouchées d'un gruau infect. Sans un regard pour son mari Antoine, qu'elle vénère pourtant habituellement, elle dépose son sac sur la chaise près de la fenêtre, et vient ensuite étendre son corps enflé de femme enceinte contre le mien.

Antoine sort de la chambre, la mine un peu basse.

Comme d'habitude, ma sœur ne dit pas un mot. Elle met son bras par-dessus le mien et bouge légèrement les fesses pour bien se positionner dans mon dos. Sa seule phrase est prononcée comme un murmure :

– Je te fais mal, p'tit ange?

Je secoue la tête. Non, elle ne me fait pas mal. Bien sûr que non! Il me semble même que je peux, enfin, respirer. Au rythme des poumons de ma sœur enceinte, pleine d'une vie nouvelle. Et en recevant au creux du dos le massage impromptu des coups de pied de son bébé à venir.

Après un bout de temps, je me mets à parler. Est-ce ce surnom que me donnait déjà ma grande sœur quand j'étais petite, p'tit ange, une déformation affectueuse de mon prénom, qui réussit à dénouer le nœud qui m'oppresse?

Je me mets à parler lentement, d'abord, puis de plus en plus vite. Sans pouvoir m'arrêter.

– Je ne sais pas ce qui est arrivé, Michèle. Je n'arrive pas à croire ce qui est arrivé! Ce *qui est arrivé est arrivé si vite, je ne le crois pas, je ne comprends pas...*

Ma sœur demeure immobile derrière moi. Seul son bébé bouge, comme pour m'encourager.

– Benjamin, Michèle... Mon Benjamin ! Pourquoi ? Pourquoi ? Le sais-tu, toi ?

Je crois sentir ma sœur tressaillir. Sa voix se fait plus forte :

– Benjamin, tu dis ? Benjamin était avec toi ?

– Oui, non, oui...

– Prends ton temps, p'tit ange.

Est-ce bien la nuit précédente que tout cela est arrivé ? On dirait une vie entière, on dirait un siècle !

Je prends une profonde inspiration tout en

fixant le moniteur cardiaque devant moi. Ma sœur enceinte bien calée contre mon dos, je raconte :

– Benjamin est venu me chercher à la maison pour aller à une fête. Toute l'école était invitée. Enfin, presque. Je suis sortie par la porte de la cour, pour ne pas que les parents m'entendent. À un moment, je suis partie avec lui. La fête était ennuyante et puis, je… je voulais être avec lui.

Je prends une pause, puis je continue.

– Nous sommes allés sur le bord de l'eau. Là-bas, deux autres garçons nous attendaient.

– Ma chérie, tu n'es pas obligée de parler tout de…

– Ils se sont mis à rire. Ils ont commencé à déchirer mes vêtements. Ils me lançaient de l'un à autre comme si j'étais un ballon de football. Et moi, je me sentais comme une

poupée de son qui se vide et qui devient de plus en plus molle.

– Angèle…

– Benjamin était là, il regardait. Ses yeux brillaient, je ne sais pas pourquoi. Les deux autres garçons m'ont traînée jusqu'au Musée des fourrures. Entre le musée et le fleuve.

Ma sœur se tait. Elle doit enregistrer mentalement toutes ces informations.

– Et là… et là… ils m'ont sauté dessus, Michèle ! Je ne voyais rien ! Ils ne riaient plus. Ils étaient comme des bêtes sauvages, des monstres affamés. J'avais mal partout, j'étais terrifiée. Je me suis mise à crier le nom de Benjamin…

– Il était où pendant ce temps-là, celui-là ? Dis-le-moi, p'tit ange, dis-moi où était Benjamin !

Une infirmière entre. Elle jette un œil au moniteur, puis dévisage ma sœur d'un air désapprobateur. Pour ne pas se disputer avec la collègue de son mari, Michèle lui fait un geste vague. L'infirmière sort sans un mot.

– Benjamin, Michèle… Je n'arrive pas à le croire ! Benjamin !

Je pleure. Toute la scène me revient en tête. Ma mémoire est cruelle. Elle mélange le visage aimant de Benjamin avec les bruits inhumains des deux autres garçons. Elle confond les battements de mon cœur apeuré avec les pulsations d'avant. Celles qui faisaient s'affoler mon cœur lorsque Benjamin me regardait. Benjamin, Benjamin, Benjamin.

– Il était assis à ma tête et il me maintenait les épaules en place, Michèle ! Benjamin m'empêchait de bouger !

À travers mes sanglots, des vertiges

apparaissent. Puis une nausée grandissante. J'ai l'impression de sombrer. Loin, très loin, une sonnerie stridente se fait entendre. Et pendant que je vomis en m'accrochant à ma sœur, Michèle crie :

– Au secours, aidez-moi ! Antoine, Antoine, vite !

Chapitre 12

Josiane leva les yeux vers le ciel pour ce qui lui sembla être la millième fois de la journée. Son collègue l'exaspérait. Dès leur arrivée au parc Angrignon, il avait fait preuve d'une mauvaise foi décourageante.

Depuis une heure qu'ils étaient là, ils n'avaient pas encore pu repartir avec les vêtements afin de les confier au laboratoire pour des analyses. L'inspecteur Bertrand Émond s'était en effet mis en tête de reconstituer, sur place, ce qu'il avait l'air de considérer comme une scène de crime.

– Bertrand, où veux-tu en venir au juste ?

– Je fais mon travail, Josiane. Ni plus ni moins que mon travail.

La policière soupira.

– Ton travail, comme tu dis, c'est aussi le mien. Et en ce moment, c'est de récupérer les vêtements de la petite pour les faire analyser. Un point, c'est tout !

L'inspecteur ne répondit rien. Il continuait de prendre des photos et redemandait aux patrouilleurs qui avaient sonné l'alarme, pour la dixième fois, où les vêtements avaient été trouvés. Josiane s'impatienta :

– Ça suffit, Bertrand, on s'en va !

Elle empoigna le sac de plastique qui contenait les précieux tissus. Puis elle poussa son collègue vers leur voiture. En route vers la Place Versailles, elle ne le lâcha pas d'une semelle :

– J'aime vraiment pas ça, Bertrand, j'te trouve bizarre !

– Bizarre ?

– Oui, bizarre ! Et pas à peu près !

Immobile, l'inspecteur regardait la route. Josiane, tout en conduisant, envisagea les choses sous un autre angle.

– La connais-tu, la petite, Bertrand ?

– Tu parles de la victime, Angèle Lévesque ?

– Mais oui, je parle d'elle ! De qui veux-tu donc que je te parle ! Seigneur ! Bertrand, des fois tu…

– Non.

– Non, quoi ?

– Non, je ne la connais pas. Je l'ai vue cette nuit, comme toi, pour la première fois.

Endormie sur son lit d'hôpital.

Josiane se mordit l'intérieur de la joue. Après quelques kilomètres, elle se risqua à nouveau :

– C'est quoi, l'affaire, d'abord ?

L'inspecteur Bertrand Émond aurait pu nier. Il aurait pu continuer son dialogue de sourds avec Josiane en tentant de lui faire croire que tout allait bien, qu'elle se méprenait à son propos. Mais la vérité risquait de sortir d'un instant à l'autre, de toute façon, alors aussi bien satisfaire la curiosité de sa collègue. Il lui devait bien ça ! Après tout ce qu'elle avait fait pour lui... Après, surtout, qu'il l'ait traitée si cavalièrement lors de cet épisode amoureux qu'il aurait voulu oublier.

– OK, Josiane. T'as raison ! Il y a quelque chose...

La policière lui jeta un regard en biais, sans

rien dire. Son sourcil dessinait tranquillement un arc ressemblant à un accent circonflexe.

– C'est Mathieu.

Josiane s'en doutait. Mathieu allait à la même école secondaire qu'Angèle Lévesque. Elle n'avait tout de même pas pu ne pas remarquer ce détail ! Elle repoussa mentalement le visage du fils de son collègue, un adolescent un peu difficile, qui n'avait pas apprécié que son père ait une aventure avec sa collègue de travail, quelques mois plus tôt. Le cœur brisé, Josiane avait plus d'une fois été la cible des moqueries de Mathieu. Et le père du garçon ne la défendait pas tellement, quand les disputes survenaient !

Si elle n'avait écouté que son cœur, Josiane se serait lancée corps et âme dans une relation amoureuse avec Bertrand. Mais les circonstances n'étaient pas bonnes, semble-t-il. C'est, du moins, ce que son amant lui avait laissé entendre en mettant fin de façon abrupte à leurs courtes fréquentations.

En attendant que Bertrand poursuive, Josiane ne put s'empêcher de se demander, encore une fois, si son collègue avait véritablement été amoureux d'elle, s'il regrettait que le contexte leur ait été défavorable. Ou si, tout simplement, il se réjouissait secrètement de cette excuse parfaite fournie par la vie pour rompre avec elle.

L'inspecteur continua ses explications :

– La fête à laquelle ont assisté les jeunes, samedi… eh bien, c'était chez nous.

– Quoi ?

Abasourdie, Josiane garda le silence pendant un moment. Puis elle se mit à zigzaguer dans les quartiers résidentiels de Pointe-aux-Trembles jusqu'à, finalement, se stationner brusquement devant un bungalow défraîchi. Par la fenêtre, une vieille femme à l'air peu avenant leur jeta un œil méfiant. De mauvaise humeur, Josiane marmonna intérieurement : « Si t'es pas contente, appelle donc la police, vieille bougonne ! » Elle se retourna ensuite vers Bertrand.

– OK. La fête, c'était chez toi. C'est parfait, vraiment, parfait ! C'est la meilleure nouvelle depuis le début de l'enquête !

Elle fulminait.

– En as-tu d'autres, des p'tits secrets comme ça ? Parce que si tu veux qu'on fasse équipe ensemble, va falloir que tu collabores mieux que ça, Bertrand Émond !

– C'est juste que Mathieu…

– Il n'y a pas de Mathieu, Bertrand ! Si ton fils n'a rien à voir dans cette histoire, mis à part le fait qu'il a organisé une fête où la victime s'est rendue avant que le drame ne se produise, je ne vois pas en quoi ça pourrait lui nuire ! En attendant, je m'attends à ce que tu rajoutes cette information au dossier et à ce que tu collabores comme du monde !

– Je suis d'accord, Josiane. Calme-toi !

– Je suis calme ! Je n'ai jamais été aussi calme de ma vie !

Chapitre 13

Nadine ne partageait pas le même cours de français que Benjamin. Pour apercevoir l'adolescent, elle dut donc prétexter une envie pressante. Elle quitta son cours en direction des toilettes tout en faisant, l'air de rien, un petit détour vers le gymnase.

Elle savait qu'en se plaçant contre le mur du corridor menant au gymnase, elle pourrait facilement jeter un œil à l'intérieur du grand espace sans que monsieur Tétreault, l'enseignant d'éducation physique, remarque sa présence. Si elle se faisait prendre, elle pourrait toujours prétexter avoir besoin d'un tampon hygiénique, sachant qu'une réserve d'articles pharmaceutiques se trouvait dans le bureau de monsieur Tétreault.

Les élèves s'entraînaient à des épreuves d'athlétisme. Entre chacune des stations, un petit groupe s'agglutinait et commentait la performance des autres élèves. Les rires moqueurs se faisaient entendre jusque dans le corridor. Nadine observa les mimiques des élèves. La méchanceté et le sarcasme étaient visibles même à distance. Elle plissa le nez : l'adolescente détestait l'athlétisme et, surtout, l'esprit de compétition malsaine et la constante comparaison transpirant des murs du gymnase.

Au premier coup d'œil, elle ne vit pas Benjamin. Elle balaya rapidement l'espace du regard et finit par le repérer, assis contre le mur, derrière le matelas réservé à la station du saut en hauteur. C'était le matelas le plus épais du gymnase et il camouflait en partie le corps de Benjamin.

Nadine fronça les sourcils. Il lui sembla que le garçon à qui elle rêvait, secrètement, depuis le début du secondaire, avait changé. Elle n'aurait pas su dire les raisons de sa transformation, et encore moins décrire en détail les changements opérés, mais elle le trouva différent. Préoccupé. Malheureux.

Nadine regarda l'heure. Il lui fallait retourner à son cours de français ! Pourquoi donc perdait-elle son temps à observer celui qui lui avait démontré si peu de reconnaissance sur l'heure du dîner ? Il était clair que Benjamin ne s'intéressait pas à elle. Qu'il ait été blessé ce midi et qu'elle s'inquiète pour lui ne faisait aucun sens. Nadine le savait. Et pourtant, ses yeux demeuraient rivés sur les épaules de Benjamin. Aussi, elle sursauta lorsque la surveillante posa une main ferme sur son épaule.

– Qu'est-ce que tu fais là, Nadine ?

La jeune fille, prise en défaut, rougit.

– Je… euh… j'ai besoin d'un tampon hygiénique.

– Ah oui ? T'es certaine de ça ?

– Euh… oui.

– Tu m'as demandé la même chose, pas plus tard que la semaine passée !

C'était vrai. Nadine était coincée.

– Tu t'inquiètes pour ton ami ?

– Mais non, voyons ! Pourquoi vous me dites ça ?

– Je t'ai vu prendre sa défense, ce midi, à la cantine. Et je t'ai trouvé pas mal courageuse, d'ailleurs !

Nadine la regarda sans rien dire. Au fond d'elle, elle lui hurlait : « Et toi, ça te tentait pas d'intervenir ? T'es payée pour ça, il me semble ! »

La surveillante reprit :

– Allez, viens !

Et la jeune fille dut la suivre jusqu'au bureau du directeur adjoint responsable de son niveau, comme le voulait le règlement du collège. À leur arrivée, elles apprirent de la bouche de la secrétaire que le directeur adjoint venait de quitter pour une réunion urgente.

Embêtée, la surveillante se retourna vers Nadine, qui n'avait pas froid aux yeux et qui poussa l'audace jusqu'à afficher un sourire en coin. La surveillante s'emporta :

– Non seulement tu traînes dans les corridors, mais en plus tu trouves ça drôle !

– Mais non, voyons…

– Allez, suis-moi ! On s'en va directement au bureau de madame Lemieux !

Nadine la suivit sans mot dire, en se demandant quelles seraient les conséquences d'une telle punition. Une retenue ? Une journée pédagogique perdue ? Un devoir supplémentaire à rédiger ? Rien de tout cela ne l'atteignait vraiment. Elle avait, depuis longtemps, compris comment fonctionnait le monde des adultes. S'ils souhaitaient la réprimander, qu'ils le fassent donc ! Ils seraient ensuite soulagés et elle pourrait enfin retourner à son cours. Puis, après l'école, à son travail au centre commercial. Puis, après son travail, au petit appartement qu'elle avait réussi à louer sans signer de bail et qu'elle payait de peine et de misère, dans le plus grand des secrets, avec l'argent gagné à la boutique.

Les corridors étaient silencieux. Lorsqu'elle croisait la porte d'une classe,

Nadine pouvait entendre le murmure des élèves ou, plus souvent encore, la voix forte d'un enseignant déblatérant sa théorie. Elle pensa à son propre parcours scolaire. Déjà trois ans qu'elle étudiait au collège Sainte-Marguerite ! L'établissement avait tous les airs d'un collège privé huppé. Bien installé au bord du fleuve, il ouvrait ses portes à un nombre restreint d'élèves, chaque année, qui avaient été triés sur le volet. Ceux-ci portaient plus ou moins fièrement, selon le cas, un uniforme des plus conventionnels et c'est souvent à bord d'une voiture luxueuse qu'ils faisaient le trajet, matin et soir, entre leur résidence cossue et leur école secondaire.

L'école était publique et, donc, gratuite. Mais les examens d'admission étaient si sévères – les places étant limitées – que bien souvent, les privilégiés ayant la chance d'y être inscrits avaient bénéficié, toute leur vie, de ressources payantes : cours de rattrapage lorsqu'une difficulté se présentait dans une discipline scolaire, compétitions sportives, vacances à l'étranger permettant d'accroître sa culture générale... Le collège Saint-Marguerite, qui se vantait dans la presse d'être gratuit, accueillait donc, en majorité, des enfants issus de familles aisées.

Ce n'était pas le cas de Nadine.

Très tôt dans sa vie, la jeune fille avait été confrontée à la dure réalité du monde adulte. Elle avait grandi seule avec sa mère, une gentille jeune femme, très travaillante, qui devait cumuler parfois deux ou trois emplois pour arriver à boucler les fins de mois. Souvent, elle disait :

– Je ne comprends pas ! Pourquoi ils appellent ça le salaire minimum, si ça ne nous permet même pas de payer le loyer et de faire une épicerie convenable ?

Nadine ne répondait rien. Elle était habituée aux conversations à propos de l'argent. Elle savait ce qu'étaient les impôts à six ans, rédigeait la liste d'épicerie après avoir découpé les coupons-rabais des circulaires à sept ans et pouvait, à huit ans, prévoir dès le douzième jour du mois si elles allaient ou non arriver à honorer toutes les factures avant le mois suivant.

Trop vite, Nadine était devenue une adulte.

En marchant dans les corridors vers le bureau de Béatrice Lemieux, la surveillante se dandinait d'un air presque heureux, comme un pêcheur satisfait de sa prise du jour. En la suivant, Nadine observait, porte après porte, les élèves du collège Saint-Marguerite. Obsédés par l'achat d'un nouveau téléphone cellulaire, gloussant sous les regards d'un garçon un peu plus populaire que les autres, ennuyés comme si leur vie, déjà, s'éternisait. Voilà comment

Nadine percevait ses camarades. Bien sûr, il y avait des exceptions ! Des filles joyeuses et agréables à côtoyer, comme celles avec qui, tous les midis, Nadine mangeait. Il y avait quelques garçons allumés, aussi. Impliqués dans des projets, rieurs, revendicateurs. Et il y avait Benjamin.

Benjamin, si différent de tous les autres. Benjamin, qui semblait vivre sur une autre planète, les écouteurs de son iPod branchés en quasi-permanence sur ses oreilles. Même l'uniforme du collège avait l'air différent sur lui... Benjamin et ses yeux bleus comme le fleuve, certains jours de juin, lorsqu'il fait très chaud.

Le garçon ne restait pas très loin de chez elle, mais, bien évidemment, il l'ignorait. Avait-il déjà remarqué sa présence, ne serait-ce qu'une seule fois ?

L'adolescente repensa à l'incident survenu

sur l'heure du midi. Elle était surprise d'avoir été la seule à réagir. La communauté étudiante était-elle donc encore plus blasée qu'elle ne l'avait cru au départ ? Elle soupira.

La surveillante se retourna :

– On arrive, mademoiselle. Tiens-toi tranquille, maintenant.

Nadine leva les yeux au ciel. Comme si elle avait été agitée jusqu'à présent ! Cette situation était vraiment ridicule. Elle regarda la surveillante pousser la porte de l'administration et la suivit dans le grand local. Sur un geste de la femme, elle s'installa sur l'une des chaises face au bureau de la secrétaire.

Manon, qu'elle connaissait comme une cliente régulière de la boutique où elle travaillait, lui fit un clin d'œil complice. Nadine lui rendit son sourire.

– Que se passe-t-il, Huguette ? demanda Manon.

– Cette élève doit rencontrer madame Lemieux.

– Ah bon ?

Prise de court, la surveillante hésita.

– Eh bien, c'est que son directeur de niveau est absent et...

– Je sais qu'il est absent, Huguette, puisqu'il est ici. En réunion urgente avec madame Lemieux, justement. Il va vous falloir patienter, mesdames.

Au creux de l'œil de Manon, Nadine crut voir une étincelle d'amusement, ce qui la réconforta. Elle aimait bien les clientes de la boutique. L'adolescente avait réussi à tisser un lien particulier avec plusieurs d'entre elles, et il n'était pas rare qu'elle reçoive des confidences inattendues de l'autre côté du rideau de la cabine d'essayage. En essayant une robe ou une paire de pantalons, il arrivait en effet fréquemment qu'une cliente s'ouvre à Nadine et lui confie quelques petits secrets. Ou de plus importants, aussi. Comme cette policière qui était venue, une fois, à la boutique, pour s'acheter un tailleur. Cette fois-là, étonnamment, elle portait l'uniforme de la police de Montréal. Habituellement, lorsque Nadine la croisait au centre commercial, elle était plutôt habillée en civil.

Ce jour-là, la policière semblait épuisée. Elle répondait par monosyllabes aux questions de la jeune vendeuse. Nadine la laissa seule un moment au salon d'essayage, puis retourna la voir pour vérifier que tout allait bien. La policière n'avait pas bougé. Elle était assise au même endroit, sur le petit tabouret installé dans le coin de la cabine, et n'avait même pas pris la peine de tirer le rideau. Nadine lui avait demandé :

– Est-ce que tout va bien, madame ?

Sortant d'un coup de sa torpeur, la cliente avait sursauté. Puis elle s'était mise à pleurer, tout simplement. Nadine avait tourné les talons et était allée lui chercher un verre d'eau. Après avoir déposé le verre sur la petite tablette de bois accrochée à la gauche du grand miroir de la cabine, elle était ressortie en refermant pudiquement le rideau derrière elle.

Lorsque la policière était retournée dans la boutique une vingtaine de minutes plus tard, elle avait remercié l'adolescente. Nadine, en baissant les yeux, lui avait simplement répondu :

– Des fois, ça fait du bien de pleurer un bon coup !

Manon était l'une de ces clientes spéciales. Elle n'avait jamais ouvert son cœur à Nadine et ne lui avait pas non plus fait de grandes confidences, mais elle vouait à la jeune fille une affection particulière. Elle trouvait étrange, bien sûr, de croiser cette élève de troisième secondaire à chacune de ses visites à la boutique. Elle lui avait demandé, une fois, son horaire de travail.

– Pourquoi vous voulez savoir ça ? lui avait répondu Nadine d'un ton agacé.

– Voyons, ma belle, ne te fâche pas...

– Je ne suis pas fâchée !

La secrétaire l'avait regardée en haussant les sourcils.

– En es-tu bien certaine ?

– J'aime pas quand les gens se mêlent de mes affaires, c'est pas plus compliqué que ça !

Manon n'avait rien répondu. Ce jour-là, elle avait su que Nadine cachait un secret. Elle avait songé qu'elle aimerait bien pouvoir l'aider, si un jour l'occasion se présentait.

En regardant du coin de l'œil l'adolescente qui attendait patiemment de rencontrer la directrice du collège, Manon se dit que le moment était peut-être venu d'exaucer son souhait.

Chapitre 14

Bertrand et Josiane, côte à côte dans l'ascenseur menant au quatrième étage de la tour bleu et blanc, gardaient le silence. La policière aurait voulu crier de colère. Non seulement son collègue l'avait-il traitée avec une froideur digne des plus grands séducteurs lors de cet épisode de leur vie intime, mais encore fallait-il que maintenant, il nuise à leurs enquêtes communes en camouflant des détails afin de protéger son fils ! C'était incroyable !

Bertrand, de son côté, broyait du noir. Il savait que la migraine, lorsqu'elle s'installe, se gonfle en un crescendo difficile à contrôler. Son neurologue le lui avait déjà expliqué à plusieurs reprises : s'il réussissait à avaler un comprimé d'ici les cinq prochaines minutes, il arriverait peut-être à poursuivre sa journée. Sinon, il devrait retourner chez lui et se coucher, dans le noir, en attendant que le monstre se calme.

La migraine, il le savait maintenant, était un héritage de sa paternité. Ou, plutôt, du fait que son fils, maintenant adolescent, ait décidé de flirter avec la criminalité. L'inspecteur s'en doutait, les gestes de Mathieu avaient probablement pour but de l'irriter, lui, le représentant de l'ordre établi, le détective convaincu du bien-fondé de la loi. N'empêche, maintenant qu'il avait mis le doigt dans l'engrenage, son fils semblait de moins en moins facilement récupérable.

Au début, ses larcins étaient plutôt négligeables : vol d'un vélo non cadenassé à une station de métro, détournement de fonds à partir de la carte de crédit de son père, mensonges fréquents. Puis Mathieu avait touché à l'un des tabous de son père. Il avait franchi une marche que l'inspecteur Bertrand Émond trouvait inacceptable : l'être humain.

Lorsque Béatrice Lemieux, la directrice du collège Saint-Marguerite, l'avait contacté une première fois pour lui parler de taxage envers une élève de la même classe de première secondaire que Mathieu, Bertrand avait vu rouge. Un vélo, de l'argent à crédit, des mensonges, soit ! Mais traumatiser une enfant dans le but d'asseoir son pouvoir et d'ainsi briller en prouvant sa détermination à ses copains délinquants, jamais l'inspecteur Émond ne se ferait à cette idée !

Il avait donc attendu Mathieu à la sortie des classes, ce jour-là. Bien décidé à lui donner une bonne leçon. Et sans que l'adolescent ne puisse répliquer quoi que ce soit, il lui avait intimé l'ordre de prendre place dans la camionnette familiale. Puis ils s'étaient mis en route vers Rouyn-Noranda.

La route était longue. Sept heures à endurer un silence pesant tout en voyant défiler un paysage bien souvent désolant. Le garçon, qui ne savait pas où son père le menait, ne cessait de lancer des regards brefs à sa montre. La colère de Bertrand, elle, ne dérougissait pas.

Une fois arrivés, ils traversèrent la ville dans le silence le plus complet. Mathieu ne savait toujours pas ce qu'il faisait là, au milieu de nulle part, en compagnie de son père en furie.

En sortant de la ville, ils bifurquèrent sur une route isolée, puis sur une autre route plus rurale encore. Après quelques détours, le garçon se décida enfin. Il prononça une simple phrase d'un air exaspéré :

– Où est-ce qu'on s'en va, là ?

– On s'en va loin, mon gars. Tellement loin que ça va t'enlever le goût de jouer au plus fin avec les plus petits que toi !

C'était donc ça... La fille devait avoir parlé. Mathieu s'était demandé durant tout le trajet ce qui pouvait bien avoir provoqué la colère de son père.

L'élève à qui il avait subtilisé son lunch à quelques reprises puis, finalement, son iPod, n'était plus une petite fille. Mais elle était si frêle, si menue et, surtout, si seule... Continuellement seule. Une proie idéale pour un jeune délinquant en manque de courage et avide de réussite rapide.

Ainsi donc, elle avait parlé...

– Et fie-toi sur ton vieux père, la fin de semaine qui s'en vient devrait t'enlever le goût de tourner autour de cette petite fille là ! De celle-là et de toutes les autres, d'ailleurs...

Le policier avait tenu sa promesse. Sitôt arrivé au vieux camp en bois rond, il avait sommé son fils de nettoyer, à la lumière d'une lampe de poche, le coin devant servir à les accueillir pour la nuit. Les matelas étaient moisis, les draps, inexistants. La vermine s'était installée depuis longtemps.

Vers deux heures du matin, le garçon s'était découragé. Il était sorti de la cabane pour rejoindre son père, qui prenait tranquillement une bière devant un feu improvisé.

– Ben là, on va quand même pas dormir ici, ça s'peut pas, papa ! Je vais passer la nuit à nettoyer et ça ne paraîtra même pas !

Bertrand avait regardé son garçon.

– Oh que oui, tu vas dormir là-dedans,

mon gars ! Et si ça ne te tente pas de dormir, tu n'auras qu'à continuer ton ménage jusqu'à demain matin. Ça fait une quinzaine d'années que j'ai pas mis les pieds ici, tu ne risques pas de manquer d'ouvrage !

Puis, satisfait de sa réplique, il était retourné dans sa camionnette. Sous le regard médusé de l'adolescent, l'inspecteur avait démarré en trombe afin de voir si, à Rouyn, il ne pourrait pas trouver une chambre plus confortable pour les quelques heures qui restaient avant la fin de la nuit.

Le lendemain, de retour au camp, Bertrand avait aperçu son fils en train de gesticuler pour repousser les moustiques. Ils n'avaient presque pas parlé de la journée. Le père avait profité de sa visite pour débroussailler le chemin menant à la vieille cabane, tout en observant son fils du coin de l'œil. Le soir venu, alors que Bertrand faisait cuire des steaks au feu de camp, il avait demandé :

– C'est pour me faire fâcher que tu fais ça, Mathieu ?

Le garçon, surpris, n'avait pas répondu.

– C'est un mauvais choix, mon garçon. Et tu sais quoi ? Ben oui, tu vas me faire fâcher ! Tellement que si tu recommences, on risque de se retrouver souvent ici, tous les deux ! Mais c'est pas ça le pire...

Mathieu était resté silencieux.

– Le pire, c'est que c'est ta vie que tu vas gâcher ! Et moi, je ne serai pas toujours là pour couvrir tes arrières.

Ils étaient revenus à Montréal le lendemain, dans un silence aussi complet qu'à l'aller. Mine de rien, Mathieu avait beaucoup réfléchi. Son père croyait le punir en lui imposant une prison à ciel ouvert en Abitibi. Il n'avait pas compris, le pauvre policier, que c'était précisément de temps avec son père dont il avait besoin ! Aussi, dans l'espoir de revivre l'expérience, malgré tous les désagréments, Mathieu poursuivit ses activités délinquantes.

Parfois, ses méfaits passaient inaperçus. Son père, par exemple, avait pris plusieurs mois pour réaliser qu'il était l'auteur des nouveaux graffitis recouvrant les murs arrière du collège, ainsi que la brique grise de la vieille église.

L'inspecteur avait été plus rapide pour faire les liens lorsqu'il avait commencé à voler des voitures. Il faut dire que la description fournie par un passant, la première fois, était particulièrement ressemblante et que de par son jeune âge, Mathieu ne passait pas inaperçu.

Après ces événements, il avait toutefois réussi à demeurer assez discret pour garder sa place au collège et entrer en relation avec les autres élèves. Malgré ce que le garçon aurait aimé penser, il lui devenait en effet de plus en plus difficile d'être isolé du groupe. Il aurait pu tisser des liens serrés avec Adrien Nelson et son acolyte Marco, mais ne le souhaitait pas. Il lui fallait espacer ses mauvais coups pour se rapprocher de la masse étudiante.

Ses incartades étaient donc moins fréquentes, mais Bertrand, échaudé, vivait avec la peur continuelle qu'un nouveau méfait ne s'inscrive au tableau déshonorant de la délinquance de Mathieu.

En sortant de l'ascenseur, Josiane fit claquer ses talons jusqu'à son bureau, dont elle referma la porte d'un geste brusque. Penaud, le sac en plastique contenant la robe fleurie et les sous-vêtements trouvés au parc Angrignon dans la main, Bertrand se dirigea à son tour vers son espace de travail. Après avoir avalé des comprimés pour combattre sa migraine, il respira un bon coup, soupira, puis jeta un œil à son téléphone. Un voyant rouge était allumé.

L'inspecteur Émond, fatigué, décrocha le téléphone pour écouter ses messages.

Chapitre 15

L'air du gymnase était vicié. Toujours assis entre le mur et l'épais matelas bleu, Benjamin semblait somnoler. Monsieur Tétreault était venu le voir, plus tôt. Mais puisqu'il n'avait obtenu aucune réponse à ses questions, il avait décidé de laisser Benjamin tranquille. C'était l'un de ses meilleurs élèves et le garçon performait si bien habituellement qu'il pouvait fermer les yeux cette fois-ci.

Du coin de l'œil, Benjamin avait aperçu Nadine, plus tôt, qui l'observait depuis le corridor. Il avait aussi vu la surveillante apostropher la jeune fille et le duo s'éloigner ensuite. Pourquoi Nadine s'intéressait donc tant à lui ?

Le garçon avait remarqué, bien évidemment, l'intérêt de sa compagne de classe à son endroit. Mais il ne rêvait que d'Angèle. Toujours et seulement d'Angèle. Et malgré son regard perçant, son parfum enivrant et cette énergie si forte qui émanait du corps mince toujours en mouvement de Nadine, Benjamin ne la voyait pas.

Autour de lui, les élèves riaient, se bousculaient, sautaient et couraient dans le gymnase. Le murmure ambiant grondait et se transformait dans ses oreilles déficientes en un bourdonnement insupportable.

Angèle.

Comment ferait-il pour vivre, à présent ?

Benjamin avait beau repasser dans sa tête les événements du samedi soir précédent, il ne comprenait toujours pas ce qui s'était passé. Il avait toujours eu, lui semblait-il, une estime de lui-même, disons correcte. Bien sûr, il ne se démarquait ni par son arrogance, ni par un besoin intense d'exprimer une force de caractère particulière, mais tout de même... Benjamin avait grandi avec l'impression de posséder, en lui, les outils nécessaires pour gérer les situations que la vie pouvait lui imposer.

C'était avant qu'il rencontre Adrien Nelson. Avant qu'il ne sache ce que le mot *paralysie* signifiait.

Car c'est ainsi qu'il s'était senti devant Adrien Nelson, dès la première fois où il l'avait vu. Paralysé. Sans mot. Figé comme un arbre en bordure d'un lac, l'hiver. Lorsque la glace recouvrant la surface de l'eau étire ses tentacules jusqu'à saisir les racines, puis le tronc, des feuillus dressés au bord du rivage.

Adrien lui faisait peur, voilà la vérité. Et cette peur, aussi irrationnelle fût-elle, venait de signer, en quelque sorte, son arrêt de mort.

Adrien, cette fois-ci, avait dépassé les bornes et Benjamin le savait. Très bientôt, d'ailleurs, tout le monde le saurait. Tout le monde le jugerait lui, Benjamin, encore plus qu'Adrien. Pour les événements s'étant passés le samedi précédent et, surtout, pour sa lâcheté.

Benjamin n'arrivait pas à y penser, encore moins à en parler. Il se mit au défi, mentalement, de nommer l'acte qui scinderait, pour toujours, sa vie en deux. Il en fut incapable.

La tête entre les jambes, dans ce gymnase étouffant, sous les cris de ses camarades insouciants, il tenta de prononcer mentalement les mots cruels.

Ce petit jeu dura longtemps. Les élèves

qui franchissaient, heureux, la barre du saut en hauteur et qui retombaient non loin de Benjamin percevaient-ils sa douleur? Apercevaient-ils, au moins, sur son visage, la grimace d'une horreur pire que tout : celle dont on se sait responsable ?

Vers la fin du cours, l'enseignant siffla. Dans les oreilles quasi sourdes de Benjamin, le son se fit particulièrement strident. Et comme si cet aigu insupportable avait réussi, à lui seul, à débloquer les portes d'une redoutable écluse à l'intérieur de son cœur malheureux, Benjamin s'écria mentalement les mots auxquels il refusait de faire face jusqu'alors : « Le viol d'Angèle Lévesque. »

Le viol d'Angèle Lévesque.

Le crime qui venait, à tout jamais, de modifier le cours de sa vie. La cassure dans son parcours qui faisait que rien, plus jamais, ne serait pareil pour lui.

Le viol d'Angèle Lévesque.

Maintenant que les mots avaient été prononcés dans sa tête une fois, puis deux, il sembla à Benjamin qu'il aurait pu les répéter à l'infini, comme une mauvaise litanie.

Le viol d'Angèle Lévesque. Le viol d'Angèle Lévesque. Le viol d'Angèle Lévesque. Le viol d'Angèle Lévesque.

Alors que les autres élèves faisaient la file plus ou moins sagement vers la pièce de rangement du gymnase pour y remiser une partie de l'équipement utilisé, Benjamin saisit sa tête entre ses mains et, comme un animal blessé, rugit sa rage.

Les élèves sursautèrent et se retournèrent vers lui. Quelques jeunes filles lâchèrent un petit cri terrifié. Partout dans le gymnase, ce ne fut que chuchotements et consternation.

Tout au fond, entre le matelas d'athlétisme et le mur sale, Benjamin hurlait toujours.

Le cœur de monsieur Tétreault s'arrêta de battre un instant. L'enseignant connaissait bien Benjamin. Quelque chose de terrible, il en était persuadé, s'était produit.

Chapitre 16

Il y avait déjà un moment que l'inspecteur Émond et sa collègue Josiane étaient assis dans le corridor de l'hôpital, non loin de la chambre d'Angèle Lévesque. Devant eux, droits comme des sentinelles, se tenaient les parents de la jeune fille et leur gendre, un infirmier souvent affecté aux urgences. Pour cette raison, les deux policiers connaissaient bien ce dernier.

En regardant Antoine du coin de l'œil, l'inspecteur se rappela cette fois où le jeune infirmier, perspicace, leur avait signalé un cas d'abus sexuel chez un jeune enfant venu consulter pour un bras cassé. D'abord réticent à se faire soigner par un homme, l'enfant avait par la suite complètement changé d'attitude, allant jusqu'à proposer des gestes intimes à l'infirmier abasourdi. Celui-ci lui avait prêté son téléphone cellulaire afin qu'il puisse s'amuser avec les jeux électroniques qui y étaient installés, puis avait contacté la police. C'est l'inspecteur Émond qui avait été dépêché sur les lieux. Le temps que le policier arrive sur place, le petit garçon avait utilisé le cellulaire de l'infirmier pour contacter son père et l'avertir que quelque chose ne tournait pas rond. Oui, il était à l'hôpital, c'est son enseignante qui l'y avait accompagné après qu'il soit tombé du module de jeux, dans la cour d'école. Oui, sa mère allait sans doute arriver sous peu. Non, il ne savait pas pourquoi l'infirmier le faisait patienter aussi longtemps, seul, avec un téléphone cellulaire.

En voyant arriver le père, nerveux et suspicieux, Bertrand Émond avait su qu'il tenait son homme. S'en était suivie une longue enquête – les indices étant très minces – qui avait finalement mené à l'arrestation de l'agresseur. Bertrand se rappelait l'ambiance cauchemardesque qui avait entouré l'arrestation du père : la mère était livide, comme sortie d'un film de fantômes, et le fils hurlait, s'agrippant à son père comme un noyé à sa branche de bois.

Le soir de cet événement, Bertrand était allé voir son fils dormir. Mathieu était trop vieux, maintenant, pour que son père lui souhaite une bonne nuit avec des bisous et des câlins, mais parfois, le policier avait la nostalgie de cette époque bénie qu'était la petite enfance. Et c'est à ces souvenirs heureux qu'il avait pensé, longtemps, avant de quitter la chambre de son adolescent endormi. En se disant que malgré ses imperfections, sa paternité était belle, mille fois plus belle que celle qu'il avait côtoyée plus tôt dans la journée.

– Alors ?

L'inspecteur Émond dévisagea Antoine, qui venait de parler.

– Pardon ?

– Vous allez passer combien de temps, ici ? Je vous répète qu'Angèle n'est pas en état de recevoir de la visite. Il est plus de vingt et une heures, maintenant, et elle doit se reposer.

– Où est son médecin traitant ? se risqua Josiane.

– Je l'ai appelé. Il sera ici d'une minute à l'autre, répondit l'infirmier, visiblement irrité.

Les parents d'Angèle semblaient mal à l'aise. La mère prit la parole :

– Voyons, Antoine, ces policiers ne veulent que nous aider...

– Angèle n'est pas en état de les recevoir. Il me semble que c'est clair, non ?

L'air abattu, la femme recula d'un pas. Au même moment, la porte de la chambre s'ouvrit et Michèle, dont le ventre affichait ses huit mois de grossesse, marcha lentement vers eux. Elle pleurait à chaudes larmes. Josiane se leva promptement :

– Prenez ma place, allez... Assoyez-vous, voyons. Là, c'est mieux...

La tension monta encore d'un cran. Michèle se retourna vers l'inspecteur assis à sa droite. Difficilement, elle émit une vérité que tous avaient du mal à accepter :

– Ma sœur n'est vraiment pas en état de vous recevoir, inspecteur.

Elle se retourna vers Josiane :

– Je suis vraiment désolée...

Elle pleura encore un peu avant d'inspirer profondément.

– J'ai le nom de l'un des trois agresseurs, annonça-t-elle. C'est tout ce qu'elle a réussi à me dire, ou à peu près, avant sa crise. Depuis, elle dort profondément. Et s'il vous plaît, je vous en prie, n'allez pas la réveiller ! Laissez-la se reposer...

Les parents de Michèle, tout comme son mari Antoine, s'étaient approchés de la jeune femme.

– Je n'en reviens tout simplement pas...

– Parle, Michèle, parle !

Le père avait presque crié. La mère, bouleversée, tenait le bras de son mari et semblait hésiter entre courir vers la chambre de sa petite fille ou s'effondrer, là, en plein corridor.

La femme enceinte se retourna vers sa mère et laissa tomber, dans un murmure à peine audible :

– C'est Benjamin, maman. Benjamin Nadeau.

Autour d'elle, un silence se fit. Les deux policiers hochèrent la tête, reconnaissants, puis quittèrent le corridor à pas feutrés. Il serait toujours temps de parler à Angèle demain. Entre-temps, la nuit serait longue...

En attendant l'ascenseur, au bout du couloir, les deux policiers entendaient clairement les deux femmes qui pleuraient à chaudes larmes en s'étreignant avec force. Le père, de son côté, grondait de colère :

– Je vais le tuer, Diane, m'entends-tu ? Je vais le tuer !

Antoine, toujours debout devant sa femme, était plus blanc encore que son uniforme.

Chapitre 17

Nadine était plongée dans sa baignoire. Elle regardait la céramique endommagée et sale collée sur tous les murs de sa salle de bain. Les carreaux avaient dû être jaunes, autrefois, mais ils oscillaient maintenant entre le beige et le gris, semblant porter la couleur d'une saleté incrustée depuis des années.

L'adolescente avait toujours été une maniaque de la propreté, pourtant. C'est ainsi, d'ailleurs, qu'elle s'était décrite à la propriétaire de l'immeuble, madame Perron, lors de leur première rencontre. La vieille femme avait décidé, peut-être par bonté de cœur, de lui donner sa chance. Sans doute voyait-elle également, dans cette très jeune femme si déterminée, une occasion en or de régler son problème de logement vacant. Car cet appartement avait été vide bien longtemps et madame Perron, fatiguée et inapte à l'entretenir elle-même, savait très bien que c'est l'insalubrité des lieux qui en était la cause. Aussi, avait-elle été surprise d'entendre cette petite brunette énergique lui dire :

– Je n'ai que quatorze ans, madame. J'entre en secondaire trois cet automne. Je sais que je suis trop jeune, mais je vous promets de toujours payer mon loyer. Il y a longtemps que je suis une adulte, maintenant. Vous pouvez me faire confiance !

La vieille femme avait pris une gorgée de café. Tout en observant Nadine, elle revoyait en pensée la jeune femme qu'elle avait elle-même été, longtemps auparavant. Elle repensa à ses parents, qui ne la laissaient jamais sortir seule, et à ses frères qui l'accompagnaient partout. Avait-elle vraiment eu besoin de toute cette sécurité, de toute cette attention ? Elle se souvint de ce désir qui brûlait alors, au fond de sa poitrine, de cette envie de voyager un peu, d'être libre... Lorsqu'elle avait rencontré celui qui allait devenir son mari, elle avait plongé sans trop se poser de question dans une vie rangée et tranquille. Après toutes ces années, devenue veuve et bien fatiguée, madame Perron trouvait agréable de voir Nadine si déterminée. En un sens, elle l'enviait.

– As-tu un emploi ?

– Oui. Je travaille dans une boutique à la Place Versailles.

– La Place Versailles ! Mon doux ! Dans mon temps, on n'allait jamais si loin, même pour un voyage de noces !

Elles avaient ri. Entre elles, le courant

venait de passer.

– Vas-tu encore à l'école ?

– Oui, au collège Sainte-Marguerite.

– À Lachine ? Mon doux, tu aimes ça le voyagement, toi, ma belle fille !

L'immeuble à logements de madame Perron était situé à LaSalle, non loin du cégep. Pour se rendre à l'école, Nadine devait prendre un autobus jusqu'au métro Angrignon, puis un autre, interminable, jusqu'à Lachine. Elle pouvait aussi, si elle le souhaitait, traverser à pied le parc Angrignon, mais cela lui arrivait peu souvent. Elle y avait déjà croisé des hommes solitaires, ou des groupes de jeunes, et ne se sentait pas tellement rassurée par ce trajet plus ou moins sécuritaire. Le plus souvent, donc, elle quittait son logement vers six heures, le matin, pour aller attendre l'autobus en direction du métro.

Une fois l'école terminée, elle montait à nouveau dans l'autobus, cette fois en direction du métro Lionel-Groulx. Si elle avait la chance d'avoir une place assise, elle somnolait ensuite jusqu'à l'avant-dernier arrêt de la ligne, la station Radisson. Il lui arrivait d'ailleurs fréquemment de passer tout droit et de se réveiller, un peu étonnée, devant les murs recouverts de mosaïque rouge de la station terminale, Honoré-Beaugrand. Elle devait alors rebrousser chemin et hâter le pas pour ne pas arriver en retard à la boutique.

Ces trajets fatiguaient l'adolescente, mais ils lui semblaient nécessaires. Elle était contente d'étudier au collège Sainte-Marguerite et la gérante de la boutique où elle travaillait, qui connaissait la mère de Nadine, fermait les yeux sur le jeune âge de sa vendeuse. C'était une chance inespérée. En habitant près du métro Angrignon, Nadine avait l'impression de faire un compromis acceptable. Et elle savait que la bonté de madame Perron ne se retrouverait pas facilement ailleurs.

La vieille dame avait toujours respecté l'intimité de Nadine et celle-ci, reconnaissante, s'occupait de son appartement comme d'un trésor précieux. Malgré tous ces efforts, cependant, elle n'était jamais venue à bout de la saleté incrustée dans tous les recoins de la salle de bain.

Nadine ferma les yeux. Le bain moussant dégageait une odeur agréable et fruitée. Elle se sentait lasse. La journée avait été longue. Elle repensa à son aventure au bureau de la directrice. Que de temps perdu à attendre, devant Manon, que Béatrice Lemieux se libère de sa réunion ! Huguette, la surveillante, avait même semblé regretter, à un moment, son initiative. Avait-elle été trop impulsive ? Béatrice Lemieux serait-elle mécontente de savoir qu'elle avait attendu là un si long moment, avec une élève, sous prétexte que celle-ci avait traîné quelques minutes dans le corridor près du gymnase ?

De temps à autre, Manon lui avait fait un sourire discret, ce qui avait réconforté Nadine. Elle n'aurait su dire pourquoi, parce que les deux femmes semblaient au premier coup d'œil fort différentes, mais la secrétaire de madame Lemieux lui faisait penser, vaguement, à sa mère. Elle s'était demandé, pour la première fois et comme étonnée de n'y avoir pas pensé avant, pourquoi une femme travaillant à Lachine venait visiter une boutique située à des dizaines de kilomètres plus à l'est, presque au bout de l'île de Montréal. Elle s'était promis de lui poser la question lorsqu'elle la reverrait à la Place Versailles.

Lorsque la porte du bureau de la directrice s'était ouverte, Nadine avait été surprise de constater que tous les directeurs adjoints s'y trouvaient, agglutinés autour du bureau de madame Lemieux. Celui responsable de la troisième secondaire était passé devant Nadine sans la regarder. Il était peu présent pour les élèves, aussi cette réaction ne l'avait-elle aucunement surprise.

Elle avait guetté, du coin de l'œil, la directrice de l'école. Celle-ci paraissait fatiguée et nerveuse. Deux directeurs adjoints s'étaient attardés et Béatrice Lemieux semblait impatiente que la réunion se termine une fois pour toutes.

Lorsque, enfin, ils étaient sortis, Béatrice Lemieux les avait suivis sans mot dire. Elle était restée un moment dans le cadrage de sa porte, à regarder Huguette et Nadine sans sembler les voir. Puis elle s'était ressaisie et avait demandé à sa secrétaire :

– Du nouveau, Manon ?

L'interpellée avait désigné la surveillante et l'élève qui patientaient toujours.

– Madame Huguette souhaite que vous rencontriez notre belle Nadine.

Le ton chaleureux de la secrétaire avait ajouté au stress de la surveillante. Elle avait eu soudainement, plus que jamais, l'impression d'avoir fait du zèle.

– Eh bien entrez, mesdames. J'arrive !

Et la directrice les avait suivies dans son bureau, les épaules un peu basses. En fermant la porte, elle avait repensé à cette phrase lue peu de temps auparavant : *ce sont les patrons, les vrais esclaves.* Elle s'était revue, comme dans un éclair, alors qu'elle était une jeune enseignante toute pimpante. La géographie et l'histoire la passionnaient et elle arrivait, parfois, à transmettre son amour de la connaissance à quelques élèves.

Ce souvenir lui paraît si lointain !

En s'assoyant à son bureau, elle avait eu une pensée pour la tablette de chocolat qui dormait dans son tiroir. Elle s'était mordu la lèvre inconsciemment et était allée droit au but en apostrophant sa surveillante :

– Alors, que se passe-t-il, ma chère Huguette ?

– Eh bien... euh... je voulais que mademoiselle rencontre le directeur adjoint responsable de la troisième secondaire. Mais... euh... enfin, il était avec vous et...

Béatrice s'était retenue de toutes ses forces pour ne pas soupirer en levant les yeux au ciel. « Accouche, qu'on baptise ! » aurait-elle voulu crier à la surveillante. Elle avait souri intérieurement en entendant, au fond de sa mémoire, la voix de sa mère qui affectionnait tant cette vieille expression.

– Alors, vu les circonstances, j'ai préféré que Nadine vous rencontre directement.

Zut. La directrice avait manqué quelques phrases et ne comprendrait donc pas, à moins de faire répéter Huguette, le manquement de l'élève qui se tenait droite sur la chaise.

Prise de court, elle avait décidé de se débarrasser de son employée :

– Merci, Huguette. Tu peux retourner vaquer à tes occupations. Je prends la suite.

Surprise tout autant que soulagée, la surveillante avait quitté le bureau. Fixant Nadine, la directrice avait tenté d'en savoir plus.

– Alors, Nadine ? Qu'est-ce que tu en penses, toi ?

La jeune fille l'avait jaugée. Que répondre à cette question ?

– Je pense que madame Huguette a un peu exagéré. J'ai fait un détour par le corridor du gymnase avant de retourner en classe, mais je viens de perdre encore plus de temps à vous attendre, madame Lemieux.

La directrice avait laissé échapper un sourire en coin. Elle avait profité de la présence de Nadine pour assouvir sa curiosité :

– Sais-tu pourquoi j'ai rencontré tous mes adjoints, tout à l'heure, Nadine ?

– Non.

La réponse avait fusé comme un éclair, décontenançant du même coup la directrice, qui avait attendu quelques secondes avant de poursuivre.

– Tu sembles pas mal certaine…

– Ben là, je suis juste une élève, moi ! Comment voulez-vous que je sache pourquoi vous faites des réunions dans votre bureau ?

Au fond d'elle-même, Béatrice avait pensé : « Elle le sait. Elle ne cherche qu'à gagner du temps ». Elle avait donc décidé de foncer et lui avait lancé de but en blanc :

– Étais-tu à la fête organisée chez Mathieu Émond, samedi passé ?

La jeune fille l'avait regardée sans broncher. Au creux de son regard, Béatrice pouvait voir qu'une petite lumière interrogative s'était allumée.

– Très bien.

Elle avait étiré encore un peu le moment, tiraillée entre la culpabilité et le désir d'en savoir davantage.

– Écoute-moi bien, Nadine. Je vais fermer les yeux sur ton incartade d'aujourd'hui, mais à une condition.

–…

– Je veux que tu me racontes en détail ce qui s'est passé samedi soir.

– Donnez-moi une retenue à la place.

– Non.

Les deux femmes – l'une, détenant le pouvoir et l'autre, toute jeune encore, mais flirtant avec les lois des adultes depuis si longtemps – s'étaient affrontées du regard.

– Si c'est comme ça…

La directrice avait saisi le combiné de son téléphone et avait demandé d'une voix blanche :

– Manon ? Trouve-moi le numéro de la DPJ. Et vite !

Chapitre 18

Adrien Nelson patientait dans un local du poste de police. Devant sa chaise en plastique, il y avait une table et une autre chaise. Près du plafond, dans un coin, était installée une caméra vidéo. Le reste de la pièce était vide. Les murs n'étaient pas tout à fait blancs, mais avaient dû l'être autrefois. Avant que des dizaines de suspects, comme lui, n'attendent leur interrogatoire patiemment.

Il se doutait que quelque part dans le même immeuble, son ami Marco devait se morfondre, lui aussi. Sachant que la patience n'était pas la qualité principale de Marco, Adrien sourit. Puis il se ravisa. Un sourire n'était sans doute pas la meilleure chose à enregistrer à la caméra.

Les policiers qui étaient venus le chercher chez lui n'avaient pas été particulièrement sympathiques. Il était seul à la maison. D'abord embêtés, les patrouilleurs avaient contacté des collègues. Il se faisait tard, près d'une heure du matin, et les inspecteurs semblaient déjà occupés au poste. Les patrouilleurs s'étaient installés au salon, le temps de recevoir leurs instructions. Adrien s'était assis, lui aussi, et il avait attendu. Il avait espéré que l'idée ne vienne à aucun d'entre eux d'aller visiter sa chambre, au deuxième, où il conservait une bonne quantité de marijuana et quelques comprimés d'ecstasy.

L'un des policiers avait fini par recevoir un appel et était sorti de la maison, en tenant son oreillette d'une main ferme pour mieux se concentrer. À son retour, il avait simplement lancé à ses collègues :

– On l'embarque.

L'adolescent avait fait avec eux le court trajet vers le poste de police, où il avait été enfermé dans cette pièce éclairée aux néons. Officiellement, les patrouilleurs tentaient de joindre ses parents qui, eux, contacteraient un avocat s'ils le souhaitaient. Dans un ricanement sarcastique, Adrien leur souhaita mentalement bonne chance. Ils avaient beau porter un uniforme leur donnant du pouvoir et de l'autorité, les policiers n'étaient pas devins et Adrien doutait fort qu'ils réussissent à retrouver ses parents. Le garçon imaginait ces derniers dans un motel douteux, en train de faire la fête. Ou, pourquoi pas, dans un chalet perdu au fond de nulle part. Des scénarios comme ceux-là, Adrien avait eu tout le loisir d'en inventer au fil des ans. Les occasions où il avait été laissé seul à lui-même ne manquaient pas. Il savait que ses parents finiraient par revenir à la maison, mais quand ? Une chose était certaine : ce n'étaient pas quelques policiers arrogants qui réussiraient à les retrouver.

Quelques mètres plus loin, comme Adrien s'en doutait, Marco attendait lui aussi. Le garçon frissonnait. Le timbre de la sonnette de sa maison l'avait tiré d'un sommeil nerveux où l'image du fleuve agité alternait avec celle, inoubliable, du visage terrifié d'Angèle Lévesque.

Tout au long du trajet vers le poste de police, Marco avait senti, contre sa nuque, les phares de la voiture de ses parents. Par la fenêtre de l'auto de police, il voyait les étoiles briller dans le ciel.

Sa mère était restée à peu près calme à l'arrivée des policiers, comme si elle était certaine qu'il s'agissait d'une méprise, mais son père avait été plus insistant. Il avait posé plusieurs questions aux hommes en uniforme qui se tenaient droits dans le vestibule, sans toutefois obtenir de réponse. Sa sœur Clémence, encore petite, avait été confiée aux bons soins de la voisine.

Quelle heure était-il ? Marco se sentait complètement perdu dans cette petite pièce où, il le savait, sa vie allait changer. Il se demanda qui avait parlé. Angèle ? Benjamin ?

À la pensée que son camarade puisse avoir choisi de les dénoncer, lui et surtout Adrien, Marco frissonna à nouveau. Si tel était le cas, le calvaire de Benjamin ne faisait que commencer, Marco en était convaincu.

Pour passer le temps, et surtout pour chasser les images qui le hantaient, Marco éleva sa voix nasillarde, unique et reconnaissable entre toutes. Il entonna l'air d'une vieille chanson country que ses parents, alors qu'il était enfant, écoutaient régulièrement.

Il sursauta lorsque l'inspecteur Bertrand Émond entra dans la pièce, accompagné d'une collègue toute menue. Ils semblaient tous les deux exténués.

– Faut qu'on jase, mon homme.

L'adolescent connaissait bien le père de son camarade Mathieu, parce que celui-ci organisait souvent des fêtes sur le bord de sa piscine. Marco, d'ailleurs, s'entendait bien avec Mathieu. Mais la présence d'Adrien aux soirées organisées par Mathieu engendrait souvent des problèmes. C'est ainsi que le fils du policier, quelques mois auparavant, lui avait dit :

– Écoute, Marco, ça ne me dérange pas de faire des coups avec vous autres de temps en temps, ça ne me dérange pas non plus de passer du temps avec toi, mais Adrien, j'en veux pas chez moi ! Adrien, c'est juste un paquet de problèmes !

Après un regard entendu avec sa collègue, l'inspecteur prit place sur la chaise face à Marco. La policière sortit. Dans un geste nerveux, Marco essuya ses mains moites sur le tissu de son pantalon. De voir le père de Mathieu dans ce contexte intimidait le jeune homme. Il fut heureux que Bertrand ne porte pas l'uniforme.

– Sais-tu pourquoi tu es ici, Marco ?

– Non.

Sa voix avait tremblé légèrement. Bertrand savait que le garçon mentait. Et au fond de lui, il se dit que c'était peut-être davantage pour protéger son ami Adrien que pour sauver sa propre peau, que Marco s'enfonçait de la sorte dans la délinquance juvénile. Cette fois-ci, cependant, les fautifs avaient dépassé les bornes !

– Sais-tu dans quel service de la police je

travaille, Marco ?

L'inspecteur avait posé sa question calmement, en ne lâchant pas des yeux l'adolescent qui était affaissé sur la chaise devant lui.

– Non.

Bertrand Émond prononça les mots suivants avec une lenteur singulière :

– Je travaille à l'escouade des crimes sexuels, Marco. Depuis près de vingt ans maintenant.

Marco bougea sur sa chaise, presque imperceptiblement.

– Des adolescentes violées, j'en vois tous les jours. J'en ai vu des milliers dans ma carrière. Des filles torturées, battues, ensanglantées.

Marco l'écoutait, malgré le bourdonnement sourd qui emplissait de plus en plus ses oreilles.

– J'ai vu des jeunes filles mortes avec, encore insérés dans leur corps, des objets métalliques à faire peur au plus résistant des *bums* de quartier. J'ai vu des femmes de quarante ans, belles comme des cœurs, qui n'ont jamais réussi à garder un amoureux parce qu'à treize ou quatorze ans, elles ont été violées par des lâches qui courent toujours.

L'inspecteur passa l'une de ses mains contre son front plissé, puis à travers ses cheveux. Il soupira longuement.

– Sais-tu ce que j'aurais aimé jamais voir dans ma carrière, mon gars ?

Marco secoua la tête, la mine basse.

– Des p'tits gars comme vous autres, qui se baignent dans ma piscine depuis qu'ils sont hauts comme ça, des p'tits gars qui auraient pu avoir une belle vie…

L'inspecteur se leva d'un coup. Il assena un coup à la table devant lui, puis il s'écria :

– Ciboire, Marco ! Le sais-tu, à quel point vous avez été cruels ? À quel point c'était sadique, ce que vous avez fait subir à Angèle Lévesque ? Le sais-tu, hein, le sais-tu ?

Il avait crié plus fort qu'il ne l'aurait voulu. Le garçon se leva et se plaça devant le policier. Puis, sans dire un mot, il avança ses poignets à la hauteur de ses yeux et murmura :

– C'est correct, Bertrand. Je vais faire face à la musique.

Chapitre 19

Béatrice Lemieux était assise sur le tapis de son salon, face à la table basse où, habituellement, elle ne s'autorisait pas à manger. Il lui fallait, à tout prix, s'empêcher de souper en regardant la télévision. Un vieux truc pour éviter de prendre du poids.

Ce soir-là, c'était différent.

Devant elle était posé un emballage d'aluminium débordant de lasagnes extra fromage et, tout à côté, une boîte de pizza. Un combo si calorique que Béatrice en aurait pour des jours, elle en était certaine, à culpabiliser.

Elle se leva pour prendre, dans le réfrigérateur, une canette de boisson gazeuse. La pire de toutes. Celle dont la couleur était repoussante, mais qui avait si bon goût. Surtout lorsqu'elle reposait dans un verre rempli de glaçons et qu'elle accompagnait, comme ce soir-là, un plat aussi salé que gras.

En déposant son verre sur la table, elle réalisa que sa main tremblait. Contre toute attente, elle commença à pleurer. Doucement, d'abord, puis de plus en plus profondément. Il y avait si longtemps qu'elle n'avait pas pleuré qu'elle fut étonnée du soulagement instantané que les larmes lui procuraient.

Son téléphone cellulaire sonna. Instinctivement, elle présuma une mauvaise nouvelle. Elle prit une seconde pour éteindre le téléviseur, où défilait le téléjournal de fin de soirée.

– Allo ?

Elle étira la main pour prendre un mouchoir, tentant de camoufler à son interlocuteur le tremblement de sa voix.

– Madame Lemieux ? C'est Bertrand Émond.

– Oui, inspecteur ?

Elle réussit moins bien qu'elle le croyait à camoufler à un policier habitué aux plus fins interrogatoires sa petite crise de larmes.

– Tout va bien ? Je vous dérange ?

– Ça va, ça va. Ne vous en faites pas. Un peu de fatigue, c'est tout.

– Je comprends.

Il y eut un silence.

– J'ai eu votre message.

La voix de l'inspecteur était chaude,

rassurante. Béatrice ferma les yeux un instant, comme bercée par ce timbre radiophonique. Elle déclara :

– J'ai longuement hésité avant de vous contacter, inspecteur. J'ai même rencontré mes adjoints tout à l'heure pour tâter le terrain. Sans résultat. Angèle…

– Qui vous a dit le nom d'Angèle ? la coupa le policier.

Béatrice se mordit les lèvres. Devant elle, les lasagnes refroidissaient lentement.

– J'ai lu le registre des absences du jour.

En secouant la tête lentement, Bertrand se passa la main contre le visage. Bien sûr, il aurait dû y penser !

– Vous dites qu'un incident est survenu ce midi impliquant les deux garçons dont vous m'avez donné les noms ?

– Adrien et Marco ? Oui, malheureusement. Enfin, je devrais plutôt dire Adrien et Benjamin.

– Benjamin Nadeau ?

– Euh... oui… s'étonna la directrice.

– Continuez.

– Benjamin et Adrien ont, semble-t-il, échangé quelques mots à la cafétéria, puis Adrien a frappé Benjamin au visage. Le pauvre garçon saignait du nez.

– Qui vous l'a raconté ?

– Notre surveillante, Huguette, a rédigé un rapport d'incident comme c'est l'usage de le faire au collège.

– Lui avez-vous parlé directement ?

– À Huguette ? Oui, mais comme une élève était présente au moment de notre rencontre, j'ai préféré me taire à ce sujet et m'en tenir au rapport d'événement.

– Qui était cette élève ?

– Nadine, une élève de troisième secondaire.

– Bien. Et qu'avez-vous fait ensuite ?

– J'ai questionné Nadine.

– Vous avez... Mais pourquoi ?

L'inspecteur semblait furieux. Béatrice se mordit la lèvre en grimaçant nerveusement. Déjà qu'elle ne comprenait pas sa réaction, avec Nadine, et le chantage émotif qu'elle avait fait subir lâchement à l'élève, voilà qu'elle allait devoir s'expliquer auprès du policier !

– Je voulais avoir plus de détails à vous fournir.

– Et elle a accepté de vous parler ?

– Oui, enfin non, pas vraiment…

Elle repensa au visage de Manon lorsqu'elle était entrée dans son bureau avec le numéro de la DPJ. Son regard était perçant. Nadine fulminait, elle aussi, se sentant prise au piège d'un jeu qu'elle ne contrôlait pas et où elle risquait sa liberté tout autant que sa sécurité.

Béatrice revit le bout de papier déposé sur son bureau par la secrétaire mécontente. Quelques mots y avaient été griffonnés à la hâte : *Si vous touchez à un cheveu de Nadine, je démissionne.*

Interloquée, la directrice avait relevé la tête pour voir sortir Manon. Elle n'avait vu que son dos et sa démarche colérique. Nadine, qui ne se doutait de rien, croisait et décroisait ses doigts.

Elle avait bien connu la mère de Nadine, autrefois, puisqu'elles avaient grandi dans la même rue. Béatrice avait appris entre les branches que son ancienne voisine était plongée dans un gouffre économique sans fond. Comme bien d'autres, elle avait rêvé de redresser sa situation en insérant, dans l'une de ces machines à sous clinquantes, les quelques pièces de monnaie qui restaient dans son portefeuille à la fin du mois.

À cette époque, Nadine fréquentait déjà le collège Sainte-Marguerite. À ce qu'on racontait, elle était le plus souvent seule, le soir. Sa mère passait de plus en plus de temps à la brasserie, à tenter de convaincre le patron de l'engager, à jouer dans les machines à sous. Parfois, elle accepte même les offres de clients éméchés voulant la rémunérer pour des services privés, au fond d'une voiture.

Nadine, pourtant, continuait de performer

à l'école. Elle impressionnait tous ses enseignants.

L'animateur de vie spirituelle et communautaire du collège avait bien tenté de l'impliquer dans certains projets d'aide humanitaire, mais malgré la promesse de campagnes de financement, la jeune fille avait refusé, prétextant un budget trop serré. Elle était sérieuse, déterminée, dynamique. Nadine était le rêve de toute directrice d'école.

Devant la note si surprenante de Manon, Béatrice Lemieux avait donc laissé sortir Nadine. Au fond d'elle-même, la directrice avait été soulagée de la tournure des événements. Non mais, quelle mouche l'avait piquée de vouloir faire chanter une élève modèle ? Bien sûr, elle savait que l'adolescente, de façon illégale, vivait maintenant seule en appartement. Était-ce sa faute, après tout, si sa mère n'était jamais revenue de l'une de ses soirées à la brasserie, la laissant seule à elle-même ? Et, surtout, était-ce une raison pour modifier ainsi, de façon peut-être dramatique, le cours de sa vie ?

– Donc, vous dites qu'Adrien Nelson et son ami Marco seraient peut-être, selon vous, impliqués dans le dossier ?

– Je ne sais pas pour Marco. Et, bien honnêtement, je ne sais pas pour Adrien non plus. Mais je peux vous jurer qu'il fait peur, celui-là ! C'est un garçon souvent brutal, cruel même. Il fait peur à tout le monde au collège. Et il a frappé Benjamin ce midi. Si vous cherchez où poser les yeux, commencez par lui, inspecteur. Commencez par Adrien Nelson !

En raccrochant, l'inspecteur se dirigea vers le local où, au poste de police, Benjamin venait d'être amené. Benjamin Nadeau ! Il n'en revenait pas ! Ce grand garçon, serviable et poli comme pas un, avait passé sa vie dans la même rue que Bertrand et Mathieu Émond.

Le policier se consola en pensant aux informations fournies par la directrice. Contrairement à ce qu'avait cru Michèle lors des aveux de sa sœur à l'hôpital, Benjamin n'était probablement qu'un témoin. Voilà pourquoi Adrien et Marco s'en étaient pris à lui sur l'heure du midi ! Il n'aurait qu'à fournir les noms à Benjamin et l'interrogatoire se terminerait rapidement. Ce scénario magique, l'inspecteur voulait y croire de tout son être.

En poussant la porte, il eut l'impression d'avoir, dans les trois derniers jours, vieilli de vingt ans.

Chapitre 20

Antoine était assis dans la chambre d'hôpital et regardait Angèle dormir. Il ferma les yeux et repensa à la véritable chambre d'Angèle, ce lieu coloré situé dans la maison de ses beaux-parents. Il se rappela toutes ces fois où il avait bordé sa belle-sœur alors qu'elle n'était encore qu'une toute petite fille.

Il rouvrit les yeux sur la pièce monochrome pleine de machines aux voyants lumineux où il se trouvait. Il n'y avait rien d'Angèle dans cette pièce froide et terne. Rien du tout. Pourtant, le corps frêle de l'adolescente était étendu là, sur le lit central, et il était animé du seul mouvement d'une respiration régulière.

La veille, Michèle avait dit à son mari :

– J'espère que ce n'est pas seulement son corps qui dort. J'espère que son cœur est en dormance, lui aussi, et pour longtemps !

Devant les yeux interrogateurs d'Antoine, elle avait ajouté :

– Il faut qu'elle prenne des forces. Sinon, elle ne sera pas capable d'affronter le film qui va défiler dans sa tête pour le reste de sa vie.

Ils avaient passé un long moment, tous les deux, main dans la main, à contempler le sommeil d'Angèle.

À la suite de ses aveux à propos de Benjamin, deux mois plus tôt, la jeune fille avait fait une crise monstre. Elle avait passé une nuit complète à crier, pleurer et vomir. Chacun de ses hoquets semblait laisser échapper une peine plus grande qu'elle. Michèle était restée avec elle jusqu'à ce qu'elle s'endorme une première fois, puis elle était sortie parler aux policiers. Cette nuit-là avait été longue pour tout le monde. Chacun des membres de la famille avait veillé sur Angèle tour à tour, lui frottant le dos lorsqu'elle vomissait, lui chuchotant des mots doux dans les moments les plus violents de sa crise.

Au matin, Angèle avait sombré dans un coma profond. Depuis, elle semblait morte. Blanche, froide et immobile sur son lit d'hôpital. Les moniteurs, cependant, trahissaient son secret : la vie courait encore dans son corps jeune, Angèle était toujours là. Elle ne parlait pas, elle ne s'exprimait d'aucune façon, mais elle vivait. Et ceux qui l'aimaient se raccrochaient à cette consolation comme au plus grand des espoirs.

Depuis deux mois, Antoine vivait à l'hôpital. Il avait changé d'étage pour la naissance de Rose, le bébé qu'Angèle espérait avec tant de ferveur, et c'est le cœur lourd qu'il avait tenté de soutenir sa femme, Michèle, lors de la venue au monde de leur enfant. Cet événement, il le savait, aurait dû être l'un des plus beaux moments de sa vie. Mais le cœur n'y était pas vraiment. Il savait que deux étages plus bas, la petite étoile de Michèle, la petite Angèle, se battait pour sa vie. Et alors qu'il aurait dû entrevoir la situation avec plus de lucidité, n'étant pas du même sang qu'Angèle, Antoine luttait chaque jour contre une honte indescriptible : celle d'appartenir à la race de ceux ayant fait du mal à sa petite belle-sœur.

Le fait que l'enfant à venir était une fille n'était sans doute pas étranger à son malaise et à son sentiment de révolte. Et Antoine n'était pas seul à ressentir cette peine. Ainsi, au moment de l'accouchement, lorsque Michèle avait reçu leur enfant des bras de son mari ému, elle avait éclaté en sanglots :

– Oh non, pas une fille ! Seigneur, pitié,

pas une fille... J'aurais tant voulu que les médecins se trompent dans leurs prédictions !

Toute la salle d'accouchement était consternée. Les deux infirmières, bouleversées, avaient pensé elles aussi à la belle adolescente blessée qui dormait dans la chambre 509.

Le médecin, dont la barbe et les sourcils étaient aussi blancs que son uniforme, s'était approché de Michèle. Il avait flatté doucement le dos de la petite fille toute ronronnante qui s'était blottie, en boule, contre sa maman.

– Ne dis pas ça, Michèle, ne dis pas ça... Une petite fille, c'est un cadeau du Bon Dieu. C'est de la lumière et de la joie. Plus qu'il n'en faut pour meubler une vie entière ! Allez... repose-toi, maintenant.

Et il était sorti, après avoir déposé une main ferme, longuement, sur le bras d'Antoine. À son tour, le nouveau papa s'était mis à pleurer.

C'est ainsi qu'entre ses quarts de travail, Antoine passait son temps au chevet d'Angèle. Certains jours, il serrait si fort les poings en pensant à Benjamin, Adrien et Marco qu'il marquait ses paumes de ses ongles pourtant coupés courts. D'autres jours, il baissait les épaules, semblant porter une culpabilité monstrueuse à la simple idée d'être, lui aussi, un homme.

Il aurait tant voulu qu'Angèle se réveille, enfin, pour revoir son sourire ! Il aurait tant voulu annoncer à sa belle Michèle la merveilleuse nouvelle du réveil de son petit ange !

Plusieurs fois par jour, Michèle venait avec Rose veiller à son tour sur le coma de sa petite sœur. Elle plaçait son beau nourrisson dans les bras d'Antoine et les regardait, amusée et fière à la fois, alors qu'ils se découvraient et s'apprivoisaient tranquillement. Une fois, elle lui avait dit :

– Merci, Antoine.

Bien entendu, elle pensait à sa sœur. À sa sœur couvée, littéralement, par son mari attentionné. Il avait souri tristement. Comme il aurait aimé passer son temps à la maison avec sa petite famille toute neuve ! Pourtant, il était incapable de quitter Angèle.

Il voulait absolument être là à son réveil.

Chapitre 21

Benjamin fixait de ses yeux bleus le plafond de cette chambre impersonnelle que les intervenants s'entêtaient à désigner comme étant la sienne. Un autre garçon y avait collé, il y avait sans doute très longtemps, des autocollants phosphorescents en forme d'étoiles. Peu d'entre eux étaient intacts, mais la plupart demeuraient reconnaissables. Cette galaxie improvisée représentait son seul divertissement. Le centre jeunesse où il séjournait depuis deux mois était tout, sauf un lieu de plaisir. Et Benjamin ne s'y habituait pas.

Il pensa à Félix, son petit frère adoré. Un enfant si jeune est-il en mesure de porter un jugement sur les gestes d'autrui ? Benjamin espérait que non. Plus ou moins consciemment, il priait tous les soirs pour qu'un cataclysme survienne et qu'ainsi, il ne reste plus de traces, dans les journaux, sur Internet et dans les mémoires collectives, du crime qu'il avait commis à l'endroit d'Angèle Lévesque.

Angèle Lévesque, qu'il adorait plus que tout.

Le psychologue qui venait le voir au centre lui avait parlé de meurtre par compassion et de crimes empathiques. Sans doute pour le déculpabiliser. Il ne s'était retrouvé dans aucune de ces descriptions.

Benjamin était un lâche, voilà tout. Il avait eu peur d'Adrien Nelson, avait courbé ses larges épaules devant la menace et avait obtempéré à ses ordres insensés. Il lui avait livré Angèle, comme il le souhaitait, puis avait facilité la réalisation du crime. Voilà ce qui s'était passé, un point c'est tout.

Le psychologue avait insisté :

– Mais la menace, Benjamin, elle portait un nom précieux pour toi, non ? Elle portait le nom de Félix ? C'est bien à ton petit frère qu'Adrien menaçait de faire du mal si tu ne le suivais pas dans son délire ?

Benjamin avait haussé les épaules. Qu'importe la raison, il portait maintenant le masque de la lâcheté. Pour toujours. Les autres seraient ses juges éternels et lui, en bon coupable, baisserait la tête encore plus qu'avant devant la foule méchante. Parce qu'il méritait leurs jugements, leur haine et leur mépris.

Le thérapeute avait continué son interrogatoire :

– Tu étais amoureux d'Angèle, n'est-ce

pas, Benjamin ?

Comment dire oui, maintenant, après ce samedi soir là ? Benjamin, souffrant, n'avait rien répondu.

– Et elle, mon grand ? Crois-tu qu'elle t'aimait d'amour, elle aussi ?

La question l'avait surpris. Bizarrement, il n'y avait jamais pensé. Angèle, amoureuse de lui ? Il avait secoué sa tignasse noire. Non, c'était impossible, il ne voulait pas le croire.

– Penses-tu à la mort, des fois, Benjamin ?

Le garçon s'était tourné vers le psychologue, soudainement intéressé :

– Pourquoi ? Pourriez-vous m'aider ?

C'était, lui semblait-il, la première bonne nouvelle depuis le début de ce cauchemar.

Il y avait pensé des nuits durant, à la mort, cherchant un moyen de l'atteindre. Tout, dans ces lieux, semblait cependant conçu pour l'éloigner du suicide. Cela devait faire partie de la punition...

– Non, je ne peux pas t'aider à t'enlever la vie, mon gars, si c'est ce que tu me demandes. Mais je peux t'aider à moins souffrir, par exemple.

– Impossible.

Et la séance s'était terminée là, comme toutes les autres, sans que le garçon ni le thérapeute aient l'impression d'avancer vraiment.

Le dimanche, de temps à autre, ses parents venaient le voir. Après un regard rapide, son père s'isolait systématiquement dans un coin de la salle commune pour discuter au téléphone. Ses clients monopolisaient toute son attention. Benjamin s'était habitué depuis longtemps à l'indifférence de son père. Il aurait dû en être devenu insensible depuis longtemps. Pourtant, il lui était arrivé à deux ou trois reprises, depuis qu'il habitait au centre jeunesse, de ressentir un froid glacial le long de sa colonne vertébrale au moment où son père s'éloignait en l'ignorant. Leur relation était-elle donc à ce point morte que même en ces lieux de souffrance, le père et le fils n'arrivaient pas à se parler ?

Sa mère, quant à elle, était pénible à endurer. Déjà pleine de douleurs anciennes non cicatrisées, sa mère s'était retrouvée au centre du drame non pas comme dans l'œil du cyclone, bien à l'abri de la tempête. Non. Elle ressemblait plutôt à un arbre, planté en plein milieu d'un champ, vulnérable aux éclairs qui fusent de partout et qui s'enflamme dès les premières étincelles.

Parfois, Benjamin se disait qu'elle ne survivrait pas à cette épreuve. Mais elle prétendait le contraire. Elle se tenait toujours très droite, dans la salle commune, comme pour repousser le jugement des autres, et déployait des efforts considérables pour avoir l'air de bien contrôler la situation.

Lorsque Benjamin s'informait de Félix, sa mère changeait de sujet. Jamais elle n'avait emmené son bébé avec elle. Il était trop jeune, à deux ans, pour visiter un centre jeunesse. Un point c'est tout.

Benjamin aurait-il pu commencer à surnager dans cet océan de douleurs s'il avait pu tenir, une fois, son beau Félix dans ses bras ? Aurait-il pu se dire que son geste lâche et dément n'avait pas été vain, puisque Félix était indemne, loin des menaces sadiques d'Adrien Nelson ?

Le chantage cruel d'Adrien lui avait paru

si réel au téléphone, après la fête, alors qu'il marchait avec Angèle vers le bord de l'eau ! Le temps d'entendre la voix d'Adrien lui décrire en détail ce qu'il ferait du petit corps de Félix si Benjamin ne lui livrait pas Angèle, et les oreilles du grand frère s'étaient fermées pour de bon.

En y repensant, les yeux fixés sur les étoiles collées au plafond, Benjamin sentit son estomac se nouer. Une nouvelle fois. Il avait perdu du poids depuis son arrivée au centre. Assez pour que son père lève un sourcil un peu moins indifférent qu'à son habitude lors de son dernier, mais tout aussi bref, coup d'œil hebdomadaire. Et qu'il entende, une fois, sa mère s'informer au sujet du menu de la cafétéria.

Le plus étrange, c'était ses oreilles. Alors qu'elles se faisaient déficientes, auparavant, selon son état de fatigue et de concentration, voilà que maintenant, elles refusaient parfois carrément de fonctionner. Privé de la musique qui déferlait dans ses oreilles à longueur de jour, Benjamin devenait de plus en plus sourd.

Et cette nouvelle réalité lui convenait parfaitement.

Chapitre 22

L'inspecteur Bertrand Émond déambulait dans les couloirs de la Place Versailles d'un pas nonchalant, peu pressé de remonter à son bureau. L'ambiance au boulot était plutôt négative. Josiane lui en voulait depuis l'enquête à propos du viol d'Angèle Lévesque et il était de plus en plus difficile de collaborer avec elle.

Bertrand se doutait que derrière sa colère se cachait la frustration de la femme délaissée, qui ne comprenait pas qu'un homme dans son genre, célibataire endurci, grand solitaire, ait pu préférer la compagnie de son fils adolescent, délinquant de surcroît, à la sienne. Elle était passée par toute une gamme d'émotions, Bertrand le sentait bien, allant de l'incompréhension à la méchanceté, puis, maintenant, à une indifférence de moins en moins feinte.

Bertrand soupira. Il n'avait pas voulu lui faire de la peine, mais Mathieu était sa priorité, maintenant. Une culpabilité cuisante lui brûlait le ventre continuellement, car il savait qu'il avait négligé Mathieu. Il devinait que les actes délinquants de son fils n'auraient pas été perpétrés s'il s'était mieux occupé de lui, s'il l'avait écouté, s'il l'avait davantage aimé. Dorénavant, il ne voulait plus seulement surveiller l'adolescent : il voulait bâtir une vraie relation avec lui. Et il y avait tant à faire pour y parvenir qu'il ne se voyait pas, mais vraiment pas, gérer un conflit ouvert entre son fils et cette nouvelle conjointe.

Et puis, il devait bien se l'avouer : le cœur n'y était pas tant que ça, avec Josiane. Ce n'était pas le coup de foudre.

L'inspecteur monta les quelques marches menant à un petit corridor moins long, vers l'est. Il passa devant une boutique de vêtements et se surprit à apprécier la musique douce qui y jouait. Le piano contrastait avec le vacarme émanant des haut-parleurs des boutiques à la mode. Il jeta un œil à l'intérieur. Surpris, il y reconnut la jeune brunette qu'il avait l'habitude de croiser à la foire alimentaire ou dans l'un des corridors du centre commercial. Ainsi donc, elle travaillait ici !

Le policier lui lança un regard sympathique et lui sourit. Embarrassée, l'adolescente baissa les yeux. Qu'avait-elle donc, celle-là, à toujours avoir l'air de le craindre ?

Il poussa la porte d'un restaurant italien, au bout du corridor, et s'installa pour prendre un café et un morceau de gâteau. Il regarda, par la fenêtre, le stationnement qui bouillonnait de vie.

Son téléphone cellulaire vibra. Il vit que c'était le collège Sainte-Marguerite. Content, il répondit à l'appel :

– Allo ?

– Bonjour, Bertrand ! C'est Béatrice.

– Ah ! Bonjour !

Il se cala dans sa banquette et prit une gorgée de café. L'enquête sur le viol d'Angèle Lévesque avait eu ceci de bon dans la vie du solitaire inspecteur : une amitié nouvelle était en train de se tisser entre lui et Béatrice Lemieux. Au fil de leurs nombreuses conversations, une complicité aussi réconfortante que divertissante s'était développée entre le policier et la directrice de l'école secondaire, leur permettant maintenant de se tutoyer et même, parfois, de se taquiner gentiment.

– Je te dérange ?

– Absolument pas ! Je mange un morceau de gâteau au chocolat !

La directrice eut un petit rire.

– Tu ne devineras jamais... Je garde toujours une tablette de chocolat dans le tiroir de mon bureau ! Désormais, je saurai à qui penser quand l'envie me prendra d'en croquer un morceau !

Ils rirent, heureux de se découvrir une passion commune pour le chocolat. Puis Bertrand devint plus sérieux :

– Comment ça se passe, au collège, Béatrice ?

– C'est une année difficile, évidemment... Tous espèrent qu'Angèle se réveillera bientôt et qu'elle ira bien.

– Son corps récupère en ce moment, c'est le plus important. Les blessures physiques étaient sérieuses, tu sais...

– Oui.

Ils gardèrent le silence un moment. Puis Béatrice se décida à poser la question qui la tiraillait depuis que sa relation avec Bertrand avait gagné en profondeur :

– Je me demandais si tu accepterais de m'accompagner au cinéma, demain soir ?

L'inspecteur pensa à Angèle, qui dormait encore sur son lit d'hôpital et qui ne sortirait peut-être pas du coma avant longtemps. Il se sentit coupable à l'idée de développer une relation amoureuse avec Béatrice. Après tout, c'était un peu Angèle qui les avait réunis, tous les deux...

Surpris, il s'entendit lui répondre :

– Ce sera avec plaisir, Béatrice.

Son téléphone éteint, il se mit à repenser à son enquête. Bien sûr, les coupables allaient être jugés. Ils séjournaient tous les trois dans des centres jeunesse différents, en attendant leur procès à la Chambre de la jeunesse.

Aux dernières nouvelles, Adrien ne manifestait aucun remords et semblait considérer la situation presque amusante, au grand désarroi des spécialistes en santé mentale qui le suivaient de près.

Marco, quant à lui, était dévasté. Ses parents avaient téléphoné à Bertrand la semaine dernière encore. Comment faire pour que le juge comprenne que Marco avait tout simplement été loyal à un ami à qui il avait promis, dans son enfance, de l'épauler inconditionnellement ? Bertrand avait tiqué devant la question de la mère en pleurs. L'amitié pouvait-elle vraiment être aussi forte que ça ? Pourquoi avait-il participé, alors, au viol d'Angèle ? Bertrand revit le garçon, debout devant lui, qui tendait ses poignets dans un geste déterminé afin que le policier lui passe les menottes. Cette image allait sans doute le poursuivre longtemps encore.

Benjamin, pour sa part, plongeait dans une dépression sévère. C'était la conclusion de son psychologue et celle, moins officielle, du policier. Il lui avait rendu visite à trois reprises. Chaque fois, le garçon était resté immobile, fixant le plancher de ses yeux bleus, l'air d'espérer, au plus vite, la venue de la Grande Faucheuse. Il ne réagissait pas beaucoup aux questions et Bertrand s'était même demandé, à un moment, s'il n'avait pas ses sempiternels écouteurs plantés dans les oreilles. Mais non... Benjamin était tout simplement devenu sourd au monde extérieur. Isolé parmi les autres. Profondément malheureux.

Plusieurs choses le rendaient mal à l'aise lorsqu'il repensait à cette enquête : l'état d'Angèle, bien sûr, qui était toujours dans le coma, les motifs ayant poussé chacun des garçons au crime, le rôle un peu flou de Mathieu, son Mathieu, dans cette triste histoire. Et, bien entendu, les vêtements retrouvés au parc Angrignon.

Car ces vêtements étaient bien ceux d'Angèle, leur analyse l'avait confirmé sans le moindre doute. Comment diable avaient-ils pu se retrouver aussi loin de la scène du viol ?

Il avait reparlé aux occupants de la maison où, en pleine nuit, Angèle avait sonné au moment du drame. Leur version demeurait inchangée : vers trois heures du matin, une jeune fille complètement nue et frigorifiée avait sonné à la porte. Ses cheveux étaient mouillés et son corps sale, comme si elle avait trempé dans une mare de boue. Il y a avait du sang un peu partout sur elle et de nombreuses lacérations étaient visibles dès le premier coup d'œil. Lorsque l'homme s'était approché d'elle pour l'aider à entrer dans la maison, elle avait hurlé d'une voix si forte que la femme avait repoussé son mari violemment, mue par une sorte d'instinct primal. Elle avait ensuite enveloppé l'adolescente dans une couverture de laine et l'avait prise contre elle, immobile, en attendant l'arrivée des policiers.

– La jeune fille semblait-elle épuisée ?

– Épuisée ? Ce n'est pas le mot, inspecteur ! Elle était complètement au bout de ses ressources physiques et mentales. Ce n'était plus une jeune fille, c'était un animal traqué. Une morte-vivante.

En repensant à cette conversation douloureuse, il vit Nadine traverser le stationnement. Sans doute avait-elle terminé son quart de travail. Elle regarda sa montre, puis hâta le pas.

Ignorant qu'elle étudiait dans la même année au collège Sainte-Marguerite que

Mathieu et Angèle, et qu'elle était liée d'une certaine façon à Benjamin Nadeau, Bertrand pria pour elle, d'une façon toute simple. Il pria pour que les statistiques terrifiantes qui étaient son lot quotidien, à l'escouade des crimes sexuels, ne touchent jamais cette belle brunette qui semblait à la fois énergique et fragile.

Puis l'inspecteur décida de remonter à son bureau et de terminer sa journée.

Chapitre 23

Depuis deux mois, Nadine ne vivait plus. Elle continuait de courir au rythme de son agenda d'adulte en tentant, malgré l'épisode dans le bureau de madame Lemieux, de garder sa vie privée la plus anonyme possible.

Après l'arrestation de Benjamin, elle avait eu des moments difficiles. Madame Perron, qui la voyait passer matin et soir devant sa fenêtre, l'avait fait entrer de force dans son appartement sale, un mercredi soir, pour lui servir des pâtes au beurre. Rien que ça. Avec beaucoup de sel et de poivre. Cette attention de la part de sa modeste propriétaire avait fait monter les larmes aux yeux de Nadine. De la forte et si résistante Nadine. Depuis, il arrivait à l'adolescente de passer dire bonjour à sa propriétaire, mine de rien, dans le seul but inavoué d'être réconfortée indirectement par la vieille femme chaleureuse.

Au collège, les événements entourant le viol d'Angèle et l'arrestation des trois garçons avaient provoqué une tempête si forte que les grains de sable ne s'étaient pas encore redéposés sur les tuiles froides du plancher de l'école. Une panoplie de spécialistes avait rencontré les élèves, et certains parents avaient tenté de mettre sur pied des projets pour contrer la violence et l'intimidation. Pour eux, c'était clair : Adrien avait intimidé Benjamin, qui lui avait livré Angèle, qui avait été violée. Marco, le témoin silencieux, n'avait rien trouvé de mieux que de participer au carnage.

Nadine était convaincue que la situation était beaucoup plus complexe et que tous ces parents, par leurs bonnes actions, tentaient surtout d'alléger le poids de leur propre culpabilité.

Comme elle enviait les autres élèves, pourtant ! Leurs parents n'étaient pas parfaits, certes, mais au moins ils étaient présents ! Où était donc sa mère, à elle, quand elle en aurait eu besoin ? Elle avait sans doute atterri dans une brasserie obscure du Bas-du-Fleuve, où elle amusait les alcooliques hilares du village. Nadine soupira.

Elle regarda sa montre. L'autobus arriverait bientôt à Chambly. Elle se sentait au bout du monde, seule et libre. Pour une fois, elle avait pris congé un samedi. La gérante n'avait rien dit, espérant que sa vendeuse profiterait de ce congé pour se reposer.

À l'intersection prévue, Nadine descendit de l'autobus et se mit en marche. Elle avait tout planifié : les heures de visite, l'horaire de l'autobus, la procédure à suivre. Elle avait même un lunch, dans son sac à dos, au cas où la visite se prolongerait pour une raison ou une autre.

Elle arriva devant l'imposant bâtiment. Elle lui trouva une ressemblance avec un hôpital. Derrière le stationnement, sur un carré de verdure orné de quelques tables à pique-nique, un intervenant discutait avec un adolescent. Tout semblait normal et paisible. Le quartier était résidentiel et la rue, peu passante.

Elle se présenta à la réception et demanda à rencontrer Benjamin Nadeau. Elle dut répondre à quelques questions et signer un document attestant de son heure d'arrivée, puis on la fit patienter dans une salle commune. Il y avait une table de ping-pong et des fauteuils, dans un coin. Elle choisit plutôt de s'assoir à une table conventionnelle, sur une chaise ressemblant à celles qui meublaient les salles de classe du collège.

Le garçon qu'elle vit entrer n'était pas Benjamin. S'il avait porté son nom et son identité, autrefois, il les avait perdus. Il était maigre, cerné et abattu. Ses épaules, qui paraissaient gigantesques à Nadine, naguère, n'étaient plus que des muscles affaissés, attirés par le sol comme un papillon par le soleil.

Elle se leva d'un bond.

– Benjamin !

Le garçon sembla entendre le cri poussé par la jeune fille, mais il ne réagit pas vraiment. Ses pas le conduisirent néanmoins vers la table où Nadine s'était installée.

Il s'assit en face d'elle et déposa ses mains, comme deux grandes étoiles plus effilées encore qu'autrefois, sur la table qui les séparait. Nadine posa sa main sur les longs doigts du garçon. Il ne broncha pas.

– Benjamin, il fallait que je te voie ! Je te crois, moi, Benjamin, je te pardonne ! Au nom d'Angèle, je te pardonne !

Le garçon la regarda comme si elle était une extraterrestre. D'un geste brusque, il retira sa main.

– Qu'est-ce que tu racontes ? T'es folle ou quoi ?

L'insulte traversa le corps frêle de Nadine jusqu'à se loger entre ses omoplates.

– Je l'sais, pourquoi tu as fait ça, Benjamin. Et tout le monde aurait fait la même chose que toi !

Le garçon leva les yeux au ciel.

– Ah oui ? C'est pas ce que les gens disent sur les lignes ouvertes à longueur de jour, c'est pas ce qui est écrit dans le journal ! Regarde mes mains, Nadine ! Elles sont noires à force de traîner sur les journaux pour relire, encore et encore, les insultes à mon endroit ! Regarde !

La jeune fille secoua ses mèches brunes.

– Dis pas ça, Benjamin. Moi aussi, j'ai les mains sales.

Et d'un seul souffle, sans même prendre le temps d'avaler sa salive, Nadine raconta :

– Je t'ai vu regarder Angèle à la fête ! La dévorer des yeux. Je savais que tu étais amoureux d'elle. Je vous ai vus quitter ensemble la maison de Mathieu. Et je vous ai suivis. J'ai profité du fait que les filles s'occupaient d'Émilie à la salle de bain pour sortir par la cour arrière. Je marchais derrière vous. J'ai vu ta main dans ses cheveux, j'ai entendu son rire. Je t'ai vu répondre au téléphone et crier après ton interlocuteur. J'ai vu Angèle qui te questionnait et toi, qui te fâchais de plus en plus. Puis, je t'ai vu te raidir, saisir la main d'Angèle comme si elle était une bouée de secours, et courir avec elle, courir jusqu'au fleuve. Tu as manqué de t'enfarger dans les briques sur le sol de la 15e avenue. J'ai dû courir pour vous rattraper, prendre un raccourci par le stationnement de l'église. Je vous ai vus passer le petit pont de la 6e avenue et courir, encore, sur la piste cyclable, jusqu'au musée. Quand je suis arrivée, Angèle était déjà par terre avec Adrien, fou, sur elle. Marco sautait sur place, comme un enfant au bord du précipice et toi, Benjamin, tu criais un nom, toujours le même. Tu criais le nom de ton frère. Félix ! Félix ! Félix !

Benjamin la dévisageait sans comprendre. Était-ce bien la réalité ? Pourquoi venait-elle le voir ici, maintenant ?

– Je l'sais que t'as fait ça pour protéger Félix des menaces d'Adrien ! Je l'sais et je vais leur dire, si tu veux, Benjamin ! Je vais leur dire !

Nadine se mit à pleurer, soulagée d'un énorme poids.

– Pourquoi tu dis que t'as les mains sales ?

Elle le regarda, épuisée.

– Parce que je pensais qu'Angèle allait mourir. Quand je l'ai vue courir vers le fleuve pour se sauver, quand j'ai vu les bouillons du fleuve l'engloutir puis la recracher, et toi qui hurlais pour qu'elle revienne, et les deux autres garçons qui s'en allaient en courant, en riant, j'ai décidé de t'aider.

– Tu as décidé de...

– De t'aider, oui ! Ou, en tous cas, de brouiller les pistes.

Il semblait à Benjamin qu'il retrouvait l'ouïe, soudainement.

– J'ai pris les vêtements d'Angèle et je les ai apportés au parc Angrignon. À quatre heures du matin, tremblant autant de froid que de peur, je suis allée cacher les beaux vêtements d'Angèle au parc Angrignon. Je croyais que si on les trouvait, on ne ferait pas le lien avec le drame survenu à Lachine...

Ils gardèrent le silence un moment. Nadine pleurait toujours, mais à petits coups, comme un enfant épuisé. Avant de partir, elle demanda au garçon :

– Est-ce que c'est vrai que tu veux mourir, Benjamin ?

Il hocha la tête.

– Les étoiles se mélangent dans ma tête, Nadine. Et celles du ciel, salies par cette soirée-là, se confondent avec mes cinq longs doigts crasseux. Ces mêmes doigts qui ont retenu Angèle pour la livrer aux fauves...

Avant de claquer la porte de la salle commune, Nadine se retourna et déclara :

– C'est là que tu te trompes ! Je suis sûre qu'Angèle, c'est aux étoiles qu'elle s'est accrochée.

Chapitre 24

Benjamin, mon Benjamin.

Tout le monde croit que je dors, mais j'écoute. Chacun pense que je souffre, mais non, j'ai plutôt l'impression de voler et d'observer, en catimini, vos propres douleurs.

Tu étais mon prince, Benjamin. Je rêvais de toi en regardant les étoiles de ma fenêtre. Je voyais ma sœur, si heureuse avec son mari Antoine, et je me disais que moi, j'avais mon Benjamin. Même si nous ne faisions que nous regarder, de loin. Même si nous n'avions pas réussi à vraiment nous apprivoiser encore.

Je le savais, que tu m'aimais. Dire le contraire

serait mentir. J'attendais, heureuse, l'heure où cet amour-là prendrait vie ailleurs que dans nos têtes et nos cœurs.

J'ai une petite nièce, maintenant. Elle s'appelle Rose. Je l'entends gazouiller, tout doucement, lorsque ma sœur me rend visite. Une fois, Antoine a même pris une de ses petites mains pour qu'elle me flatte le bras. Du fond de mon coma, j'ai éclaté de rire.

Intérieurement, je pleure souvent de joie. Et de peur, aussi. Je suis en vie, certes, mais Rose est une fille. Vivra-t-elle, un jour, ce qui m'est arrivé ?

Tu vois, je n'arrive pas à dire : vivra-t-elle, un jour, ce que tu m'as fait ? Je ne vois pas les choses de cette façon. Je sais maintenant de quoi les peurs humaines sont capables et j'aime ma sœur si fort, si tendrement, que je peux comprendre ton choix. Je sais que mon sacrifice avait pour but de sauver Félix.

Cette certitude ne m'a pas empêchée de te dénoncer. Ton prénom, sorti de ma bouche, a été plus douloureux encore que plusieurs des gestes posés cette nuit-là. Chacune des lettres de ton prénom, en faisant vibrer mes cordes vocales, me plongeait dans un abîme profond de souffrance. Et si je semble morte, en ce moment, c'est qu'il est vrai que j'ai perdu un peu de ma vie. La petite Angèle qui riait, lumineuse, en pensant à toi, n'est plus. Notre amour, mort-né, est à la fois souillé et brisé. Pour toujours.

Il fallait que je le fasse, que je dise ton nom à Michèle. Malgré les conséquences, il le fallait. Pour Rose.

Autour de moi, l'univers a basculé. Mon beau-frère Antoine et mon père bouillonnent de colère. J'entends, parfois, la honte d'être des hommes qui leur traverse les os. Chaque fois, ils en tombent assis de douleur, impuissants devant ce qui m'arrive. Les filles, c'est différent. Ma mère et ma sœur survivent de leur mieux avec peut-être, au fond du cœur, le soulagement dissimulé que cette tragédie ne leur soit pas arrivée personnellement. Malgré leur amour pour moi.

Comme tu vois, Benjamin, la lâcheté a plusieurs visages et la douleur, plusieurs prénoms.

Je t'envoie des étoiles, du fond de mon caniveau obscur. Et je pense à toi. À tout ce qu'il y a de plus humain en toi.

Je t'envoie mes étoiles et je souhaite de tout cœur, mon Benjamin, que tu réussisses, comme moi, à les regarder. Ce sera mon héritage. Et mon espoir pour un monde meilleur.

L'auteure

Née en 1977 à Lachine, Geneviève Cadieux était surnommée, enfant, « la petite fille qui marche en lisant » par une voisine croisée tous les jours sur le chemin de l'école. Elle a étudié la littérature à l'Université du Québec à Montréal et la bibliothéconomie à l'Université de Montréal. Elle est aujourd'hui bibliothécaire à la Ville de Brossard, en Montérégie.

En 2012, elle signe un premier roman pour enfants, *Manolo et le trésor de l'arc-en-ciel* (Éditions Vents d'Ouest). Un deuxième roman, *La petite reine de porcelaine* (Éditions Vents d'Ouest), est publié l'année suivante. *Souillée* (Éditions Z'ailées) est son premier roman pour adolescents.